L'acteur George Alexander dans le rôle de " John Worthing, J.P. " lors de la création de *The Importance of Being Earnest,* en 1895.

Les langues pour tous

Collection dirigée par Jean-Pierre Berman,
Michel Marcheteau et Michel Savio

ANGLAIS

Série bilingue

Pour prendre contact avec des œuvres en version originale

Niveaux : ❑ facile (1er cycle) ❑❑ moyen (2e cycle) ❑❑❑ avancé

Littérature anglaise et irlandaise

- **Carroll Lewis** ❑
  Alice in Wonderland
- **Conan Doyle** ❑
  Nouvelles (4 volumes)
- **Greene Graham** ❑❑
  Nouvelles
- **Jerome K. Jerome** ❑❑
  Three men in a boat
- **Mansfield Katherine** ❑❑❑
  Nouvelles
- **Masterton (Graham)** ❑❑
  Grief - The Heart of Helen
  Day
- **Wilde Oscar**
  Nouvelles ❑
  The Importance of being
  Earnest (extraits) ❑❑
- **Wodehouse P.G.**
  Nouvelles ❑❑

Littérature américaine

- **Bradbury Ray** ❑❑
  Nouvelles
- **Chandler Raymond** ❑❑
  Trouble is my business
- **Columbo** ❑
  Aux premières lueurs de l'aube
- **Hammett Dashiell** ❑❑
  Murders in Chinatown
- **Highsmith Patricia** ❑❑
  Nouvelles
- **Hitchcock Alfred** ❑❑
  Nouvelles
- **King Stephen** ❑❑
  Nouvelles
- **James Henry** ❑❑❑
  The Turn of the Screw
- **London Jack** ❑❑
  Nouvelles
- **Fitzgerald Scott** ❑❑❑
  Nouvelles

Ouvrages thématiques

- **L'humour anglo-saxon** ❑
- **L'anglais par les chansons** ❑
  (+ ⊙)
- **Science fiction** ❑❑

Anthologies

- **Nouvelles US/GB** ❑❑ (2 vol.)
- **Les grands maîtres
  du fantastique** ❑❑
- **Nouvelles américaines
  classiques** ❑❑

Pour trouver les autres ouvrages de la collection **Langues pour tous**
(méthodes, grammaires, dictionnaires, langue de spécialité)
demander le catalogue **Langues pour tous** à votre libraire.

Autres langues disponibles dans les séries de la collection **Langues pour tous**
ALLEMAND - AMÉRICAIN - ARABE - CHINOIS - ESPAGNOL - FRANÇAIS - GREC - HÉBREU
ITALIEN - JAPONAIS - LATIN - NÉERLANDAIS - OCCITAN - POLONAIS - PORTUGAIS
RUSSE - TCHÈQUE - TURC - VIETNAMIEN

OSCAR WILDE

THE IMPORTANCE OF BEING EARNEST

IL IMPORTE D'ÊTRE CONSTANT

Introduction, traduction et notes par Gérard Hardin
Agrégé d'anglais

Sommaire

© Pocket - Langues pour Tous, 1986
pour la traduction française, les notes et la présentation.
Nouvelle édition 2004
ISBN : 2-266-13980-0

Comment utiliser la série « Bilingue » ?

La série « Bilingue » anglais/français permet aux lecteurs :
• d'avoir accès aux versions originales de textes célèbres en anglais, et d'en apprécier, dans les détails, la forme et le fond ;
• d'améliorer leur connaissance de l'anglais, en particulier dans le domaine du vocabulaire dont l'acquisition est facilitée par l'intérêt même du récit, et le fait que mots et expressions apparaissent en situation dans un contexte, ce qui aide à bien cerner leur sens.
Cette série constitue donc une véritable méthode d'auto-enseignement, dont le contenu est le suivant :
• page de gauche, le texte en anglais ;
• page de droite, la traduction française ;
• bas des pages de gauche et de droite, une série de notes explicatives (vocabulaire, grammaire, rappels historiques, etc.).
Les notes de bas de page aident le lecteur à distinguer les mots et expressions idiomatiques d'un usage courant et qu'il lui faut mémoriser, de ce qui peut être trop exclusivement lié aux événements et à l'art de l'auteur.
Il est conseillé au lecteur de lire d'abord l'anglais, de se reporter aux notes et de ne passer qu'ensuite à la traduction ; sauf, bien entendu, s'il éprouve de trop grandes difficultés à suivre le texte dans ses détails, auquel cas il lui faut se concentrer davantage sur la traduction, pour revenir finalement au texte anglais, en s'assurant bien qu'il en a maintenant maîtrisé le sens.

Signes et principales abréviations utilisés dans les notes :

▲ faux ami
⚠ attention à
= équivalent de
antonyme, contraire
cf. : confer, voir

ex. : exemple
fam. : familier
m. à m. : mot à mot
qqn : quelqu'un
qqch : quelque chose

Prononciation

Sons voyelles

[ɪ] **pit**, un peu comme le *i* de *site*

[æ] **flat**, un peu comme le *a* de *patte*

[ɒ] ou [ɔ] **not**, un peu comme le *o* de *botte*

[ʊ] ou [u] **put**, un peu comme le *ou* de *coup*

[e] **lend**, un peu comme le *è* de *très*

[ʌ] **but**, entre le *a* de *patte* et le *eu* de *neuf*

[ə] jamais accentué, un peu comme le *e* de *le*

Voyelles longues

[iː] **meet**, [miːt] cf. *i* de *mie*

[ɑː] **farm**, [fɑːm] cf. *a* de *larme*

[ɔː] **board**, [bɔːd] cf. *o* de *gorge*

[uː] **cool**, [kuːl] cf. *ou* de *mou*

[ɜː] ou [əː] **firm**, [fəːm] cf *e* de *peur*

Semi-voyelle

[j] **due**, [djuː], un peu comme *diou...*

Diphtongues (voyelles doubles)

[aɪ] **my**, [maɪ], cf. *aïe !*

[ɔɪ] **boy**, cf. *oyez !*

[eɪ] **blame**, [bleɪm], cf. *eille* dans *bouteille*

[aʊ] **now**, [naʊ] cf. *aou* dans *caoutchouc*

[əʊ] ou [əu] **no**, [nəʊ], cf. *e + ou*

[ɪə], **here**, [hɪə], cf. *i + e*

[eə] **dare** [deə], cf. *é + e*

[ʊə] ou [uə] **tour**, [tʊə], cf. *ou + e*

Consonnes

[θ] **thin**, [θɪn], cf. *s* sifflé (langue entre les dents)

[ð] **that**, [ðæt], cf. *z* zézayé (langue entre les dents)

[ʃ] **she**, [ʃiː], cf. *ch* de *chute*

[ŋ] **bring**, [brɪŋ], cf. *ng* dans *ping-pong*

[ʒ] **measure**, ['meʒə], cf. le *j* de *jeu*

[h] le *h* se prononce ; il est nettement <u>expiré</u>

Accentuation

'accent unique ou principal, comme dans MOTHER ['mʌðə]

ˌaccent secondaire, comme dans PHOTOGRAPHIC [ˌfəʊtə'græfɪk]

Abréviations

Dans les notes, la traduction littérale d'une phrase ou d'une expression est présentée entre guillemets. Par ailleurs, △ indique qu'il faut faire *attention* à et ▲ précède un *faux ami*.

OSCAR WILDE

L'exilé miné par l'alcool et les épreuves qui meurt à 46 ans à Paris d'une méningite était sans doute l'un des auteurs les plus brillants, l'un des personnages les plus spirituels et les plus en vue de la société londonienne en cette fin du XIXᵉ siècle. Oscar Fingall O'Flahertie Wills Wilde naît en 1854 à Dublin, fils d'un médecin connu. Il a une sœur de deux ans sa cadette dont la mort, à 10 ans, laissera en lui une plaie aussi durable que secrète. Il fait ses études à Dublin, puis à Oxford à partir de 1874, se distinguant dans les humanités et en particulier en grec. Il se fait rapidement à Oxford une réputation de bel esprit, de virtuose de la conversation, alors qu'il suit avec passion l'enseignement de Ruskin, qui fait autorité dans le domaine de l'histoire de l'art et en particulier de la Renaissance italienne, et devient un brillant disciple de Walter Pater, théoricien du culte de la beauté pure, de la culture de l'art pour l'art, voire de la recherche du plaisir comme l'un des beaux arts ; comme le dira un personnage qui lui ressemble, dans *Lady Windermere's Fan* : « je résiste à tout sauf à la tentation. »

Après ses études, il s'établit à Londres avec l'ambition d'y faire une carrière littéraire et mondaine, et se fait d'abord remarquer par la recherche de son élégance vestimentaire. « Si j'en sais trop en matière de vêtement, je me rachète par l'immensité de ma culture », dit un personnage de *The Importance of Being Earnest* : Wilde cultive avec soin, et un brin de provocation, son personnage d'archétype de l'esthète, qui fait le bonheur des caricaturistes.

Sa première pièce, en 1881, est un échec, et il part pour les États-Unis où il donne une série de conférences très suivies. De retour en Angleterre, il se marie en 1884, assure une rubrique de critique littéraire à la *Pall Mall Gazette* et, en 1887, devient rédacteur de *The Woman's World*. Il a cependant publié plusieurs recueils de contes. En 1891 paraît *The Picture of Dorian Gray*, roman dans la grande tradition fantastique de Poe, et de la tragédie de Faust : Dorian Gray garde la beauté de sa jeunesse, mais son portrait peu à peu révèle la laideur de ses vices jusqu'au paroxysme de la perversion qui s'achève le crime et le suicide.

En 1892 *Lady Windermere's Fan* le consacre comme auteur dramatique à la mode. Cette première réussite sur la scène londonienne est bientôt suivie de *A Woman of No Importance*, qui remporte un succès considérable, et, après avoir publié un poème, *The Sphinx*, Wilde, célèbre à Londres et à Paris, écrit en 1894 ses deux dernières comédies, *An Ideal Husband* et *The Importance of Being Earnest*.

C'est la gloire, et tout aussitôt la tragédie. Wilde est impliqué dans une affaire de mœurs, comme on dit, avec son ami Bosie, Lord Alfred Douglas, fils du marquis de Queensberry, qui accuse Wilde d'être responsable de la dépravation du jeune Alfred. L'auteur dont l'amoralisme brillant et léger triomphe sur la scène est traduit en justice et condamné à deux ans de prison pour pratiques contre nature.

Wilde est brisé, rejeté, exilé. Il écrit encore *De Profondis*, douloureux autoportrait, à la recherche de l'« humilité absolue », et *The Ballad of Reading Goal*. Il se réfugie près de Dieppe, puis à Paris. Sa mère meurt en 1896, sa femme en 1897. Dans ses derniers jours il se convertit au catholicisme, qu'il avait découvert à Oxford sous l'influence du futur cardinal Newman.

*
* *

The Importance of Being Earnest est l'un des monuments de la postérité de Wilde, tant sur la scène que sur le grand ou le petit écran. Il l'inscrit dans la tradition des maîtres de la comédie anglaise que Wilde ne manque pas de saluer au passage, tels Sheridan et Farquhar. Wilde y joue ouvertement de tous les ressorts les plus classiques de l'intrigue comique : substitution d'identité, enfant retrouvé, quiproquo... pour nous donner une satire sans aigreur d'une société superficielle et vaine, brossant une série de portraits très typés, avec une virtuosité constante dans la langue, le jeu de mot, l'épigramme, qui prend à contrepied les principes les mieux établis. La langue fait le personnage, et le personnage de Tante Augusta est de ce point de vue un modèle du genre. Rien d'acerbe, dans tout cela, mais un regard dévastateur sur les petites hypocrisies, le cynisme au quotidien et les turpitudes banales qui font le monde, même lorsqu'il se prétend grand. Avec Wilde, dont Bernard Shaw, autre grand auteur anglo-irlandais, qui fut son contemporain, a écrit « il joue avec tout, l'esprit, la philosophie, la comédie, les acteurs, le public et le théâtre tout entier », disparut un maître de l'humour, dont on ne compte plus les mots d'auteur.

Trait d'humour posthume, *The Importance of Being Earnest* fut représentée à Paris en 1942, sous l'occupation allemande. On fit valoir à la censure que Wilde était un Irlandais persécuté par la justice de la perfide Albion, et elle en oublia le plus spirituellement anglais des auteurs comiques.

G.H.

Gérard Hardin, Professeur agrégé d'anglais, a enseigné en classes préparatoires (lycée Bessières, Paris) et à l'Institut Britannique de Paris. Il a été Président de l'A.P.L.V. (Association des Professeurs en Langues Vivantes) et de la F.I.P.L.V. (Fédération Internationale des Professeurs de Langues Vivantes).

Il est co-auteur de l'ouvrage « La Pédagogie de l'Anglais » (Antier - Girard - Hardin) Hachette, Paris, 1973, et a publié dans la collection Hardin-Ruard :
TODAY - série de manuels, 2e, 1re, Terminales - Hachette Paris 1973-75.
TOPICS - anglais BEP, Hachette Paris 1976.
Dans la collection « Les langues pour tous » il a traduit et adapté A PRACTICAL ENGLISH GRAMMAR (A.-J. Thomson et A.-V. Martinet - Oxford University Press) sous le titre GRAMMAIRE de l'ANGLAIS D'AUJOUR-D'HUI (1984).
Il a également traduit et annoté dans cette collection des « Nouvelles » d'Oscar Wilde.
Il est aussi le co-auteur de la GRAMMAIRE DE L'AN-GLAIS POUR TOUS.

Chronologie

1854 - 16 octobre, naissance d'Oscar Wilde à Dublin.

1871-1874 - Études à Trinity College, Dublin.

1874 - Études à Magdalen College, Oxford.

1878 - **Ravenna**, poème pour lequel lui est attribué le prix Newdigate.

1881 - **Poems. Vera**, première pièce de Wilde, est retirée de l'affiche à la veille de la première.

1881-1882 - Tournée de conférences aux États-Unis, sur les thèmes du préraphaélisme et de l'esthétisme.

1884 - Mariage avec Constance Lloyd, après avoir achevé **The Duchess of Padua**.

1885 - Wilde collabore à la **Pall Mall Gazette**.

1887 - Il est rédacteur de **The Woman's World**, poste qu'il conserve jusqu'en 1889.

1888 - Publication de **The Happy Prince**, et autres contes de fées.

1891 - Il fait paraître **Intentions**, recueil d'essais, **The Picture of Dorian Gray**, et **The House of Pomegranates**, second recueil de contes.

1892 - Le 22 février, première, au St-James's Theatre de Londres, de **Lady Windermere's Fan**.

1893 - Publication de **Lady Windermere's Fan**. Le 19 avril, au Haymarket Theatre de Londres, première de **A Woman of No Importance**. Il publie en français **Salomé**, pièce écrite pour Sarah Bernhardt.

1894 - Publication de **A Woman of No Importance**. Publication en anglais de la traduction de **Salomé** par Lord Alfred Douglas.

1895 - 3 janvier, première de **An Ideal Husband**, au Haymarket Theatre de Londres.
14 février, première de **The Importance of Being Earnest** au St-James's Theatre.
Wilde est condamné à deux ans de prison pour corruption de mineur, sur plainte du marquis de Queensberry, père de Lord Alfred Douglas.
Incarcéré à Reading, il écrit **Epistola in Carcere et Vinculis**, lettre à Alfred Douglas, qui sera publiée ultérieurement sous le titre **De Profundis**.

1896 - 11 février, représentation de **Salomé** au Théâtre de l'Œuvre à Paris. Mort de la mère de Wilde.

1897 - **The Ballad of Reading Gaol**. Wilde tente de refaire sa vie sous le nom de Sebastian Melmoth. Exil en France.

1898 - Mort de Constance.

1899 - Publication de **An Ideal Husband** et de **The Importance of Being Earnest**.

1900 - 20 novembre, Wilde meurt à Paris.

1905 - Publication de **De Profundis**.

THE IMPORTANCE
OF BEING EARNEST

IL IMPORTE
D'ÊTRE CONSTANT

THE IMPORTANCE OF BEING EARNEST[1]

The Persons of the Play

John WORTHING, J. P.[2]
Algernon MONCRIEFF
Rev[3]. Canon CHASUBLE, D. D.[4]
MERRIMAN, *Butler*
LANE, *Manservant*
Lady BRACKNELL
Hon[5]. Gwendolen FAIRFAX
Cecily CARDEW
Miss PRISM, *Governess*

The Scenes of the Play

Act I

Algernon Moncrieff's flat in Half-Moon[6] Street, W.[7]

Act II

The garden at the Manor House, Woolton

Act III

Drawing-room at the Manor House, Woolton

Time

The Present

---

1. **Earnest** : jeu sur l'adjectif **earnest** qui signifie *sérieux*, et le prénom *Ernest*. Voir la fin du texte.
2. **J.P.** : **Justice of Peace**. **Justice** est un titre. Ex. : **Lord Chief Justice** (ce qui correspond à *Premier Président de la cour d'Appel*).
3. **Rev.** : **Reverend** ; conformément à l'usage français **Chasuble** sera le plus souvent appelé *Monsieur le Recteur*.
4. **D.D.** : **Doctor of Divinity. Divinity**, ici *théologie*.
5. **Hon** : Titre donné aux enfants des *Comtes* (**Earls**), *des Vicomtes* (**Viscounts**) et *Barons*, ainsi qu'aux députés, aux membres du gouvernement, à certains juges, etc.
6. **Half-Moon** : signifierait littéralement *Demi-Lune*. Il n'y a pas lieu, normalement, de traduire les noms propres.
7. **W.** : **West**. *District postal de Londres*.

IL IMPORTE D'ÊTRE CONSTANT

Personnages

John WORTHING, *juge de paix*
Algernon MONCRIEFF
Le Révérend CHASUBLE, *chanoine, docteur en théologie*
MERRIMAN, *maître d'hôtel*
LANE, *domestique*
Lady BRACKNELL
L'Honorable Gwendolen FAIRFAX
Cecily CARDEW
Miss PRISM, *gouvernante*

Lieux

Acte I

*L'appartement d'Algernon Moncrieff, Half-Moon street
Londres (Ouest)*

Acte II

Le jardin du Manoir, à Woolton.

Acte III

Le grand salon du Manoir, Woolton.

L'action se situe à l'époque actuelle (juillet 1894).

FIRST ACT

Morning-room in Algernon's flat Half-Moon Street. The room is luxuriously[1] and artistically furnished[2]. The sound of a piano is heard in the adjoining room.

(LANE *is arranging afternoon tea on the table and, after the music has ceased,* ALGERNON *enters.*)

ALGERNON : Did you hear what I was playing, Lane ?

LANE : I didn't think it polite to listen[3], sir.

ALGERNON : I'm sorry for that, for your sake. I don't play accurately — anyone can play accurately — but I play with wonderful expression. As far as the piano is concerned, sentiment is my forte[4]. I keep science for Life.

LANE : Yes, sir.

ALGERNON : And, speaking of the science of Life, have you got the cucumber sandwiches[5] cut[6] for Lady Bracknell ?

LANE : Yes, sir. (*Hands them on a salver.*)

ALGERNON : (*Inspects them, takes two, and sits down on the sofa*) : Oh ! ... by the way, Lane, I see from your book that on Thursday night, when Lord Shoreman and Mr Worthing were dining with me, eight bottles of champagne are entered as having been consumed.

LANE : Yes, sir ; eight bottles and a pint.

ALGERNON : Why is it[7] that at a bachelor's[8] establishment[9] the servants invariably drink the champagne[10] ? I ask merely for information[11].

LANE : I attribute it to the superior quality of the wine, sir. I have often observed that in married households[12] the champagne is rarely of a first-rate brand[13].

---

1. **luxurious,** *luxueux.* **Luxury,** *le luxe* mais **lust,** *luxure.*
2. **furnished**, de **furniture** (collectif) *mobilier.* Un **meuble**, a piece of furniture.
3. **I didn't think it polite to listen** : verbe d'opinion + it + adjectif + infinitif. Ex. : **He found it difficult to tell the truth,** *il eut du mal à dire la vérité.*
4. **forte** : jeu de mots sur **piano** (abréviation de **piano forte**) **forte** [fɔːti], terme de musique, et **forte** [fɔːtɪ], en américain [fɔːt], *fort* (Ex. : **generosity is not his forte**).
5. **cucumber sandwiches** : [ˈkjuːkʌmbə ˈsænwidʒiz].
6. **have you got the sandwiches cut** : **have** (ou **have got**) + complément + participe passé = *faire* + infinitif. Ex. : **he had his**

ACTE I

Le petit salon chez Algernon, Half-Moon Street. La pièce est somptueusement meublée, avec beaucoup de goût. On entend jouer du piano dans la pièce voisine.

(LANE dispose la table pour le thé de l'après-midi. La musique cesse et ALGERNON entre.)

ALGERNON : Avez-vous entendu ce que je jouais, Lane ?

LANE : J'ai estimé qu'il n'était pas poli d'écouter, Monsieur.

ALGERNON : J'en suis navré, pour vous. Je ne joue pas juste — c'est à la portée de tout le monde de jouer juste — mais mon interprétation est merveilleusement expressive. Pour ce qui est du piano, mon fort c'est le sentiment. Je réserve la science pour la Vie.

LANE : Oui, monsieur.

ALGERNON : Puisque nous parlons de la science de la Vie, avez-vous fait préparer les sandwiches au concombre pour Lady Bracknell ?

LANE : Oui, monsieur. *(Il les présente sur un plateau.)*

ALGERNON *les examine, en prend deux, et s'assied sur le canapé :* Oh, à propos, Lane, je vois, d'après votre livre, que mardi soir, quand Lord Shoreman et M. Worthing sont venus dîner, huit bouteilles de champagne sont portées comme ayant été bues.

LANE : Oui, monsieur ; huit bouteilles et une demie.

ALGERNON : Comment se fait-il que chez les célibataires, invariablement les domestiques boivent le champagne ? Je vous le demande à seule fin de m'informer.

LANE : J'attribue ce fait à la qualité supérieure du vin, monsieur. J'ai souvent remarqué que chez les gens mariés le champagne est rarement de grande marque.

---

car repaired, *il a fait réparer son auto.*

7. **Why is it that** : littéralement « *Pourquoi est-ce que* ».

8. **bachelor**, ici *célibataire.*

9. **establishment** et **household** ont des sens très voisins ici. **To keep up a large establishment**, *avoir un grand train de maison* ; **household** = *les gens qui vivent dans la maison*, d'où, souvent, *ménage.*

10. **the champagne** = **the champagne of the bachelor** et non *du champagne* en général.

11. **Δ information** : invariable singulier.

12. cf. note 9.

13. **fist-rate brand**, *marque de première qualité.*

ALGERNON : Good heavens ! Is marriage so demoralizing as[1] that ?

LANE : I believe it *is* a very pleasant state, sir. I have had very little[2] experience of it myself up to the present. I have only been married once. That was in consequence of a misunderstanding between myself and a young person.

ALGERNON (*languidly*) : I don't know that[3] I am much interested in your family life, Lane.

LANE : No, sir ; it is not a very interesting subject. I never think of it myself.

ALGERNON : Very natural, I am sure. That will do, Lane, thank you.

LANE : Thank you, sir.

(LANE *goes out.*)

ALGERNON : Lane's views on marriage seem somewhat[4] lax. Really, if the lower orders[5] don't set us a good example, what on earth is the use of them ? They seem, as a class[6], to have absolutely no sense of moral responsibility.

(*Enter*[7] LANE.)

LANE : Mr Ernest Worthing.

(*Enter* JACK. LANE *goes out.*)

ALGERNON : How are you, my dear Ernest ? What brings you up to town ?[8]

JACK : Oh, pleasure, pleasure ! What else should[9] bring one anywhere ? Eating as usual, I see, Algy !

ALGERNON (*stiffly*) : I believe it is customary in good society to take some slight refreshment[10] at five o'clock. Where have you been since last Thursday ?

---

1. **so ... as** : variante de **as ... as** à la forme interrogative ou négative.

2. **△ little** : quasi négatif ; ne pas confondre avec **a little**, qui est positif : *un peu de* (devant un singulier).

3. **I don't know that** ; on emploie surtout I know avec **that** *(je sais que)* et I don't know avec **whether** *(je ne sais pas si)*.

4. **somewhat**, *quelque peu*. Ne pas confondre avec **somehow**, *d'une manière ou d'une autre*.

5. **lower orders** : les ordres inférieurs (de la société). On emploie le comparatif car la comparaison porte sur deux éléments. Cf : **the upper classes**, *les classes supérieures*.

ALGERNON : Ciel ! Le mariage démoralise-t-il à ce point ?

LANE : Je crois, monsieur, que c'est un état très agréable. Je n'en ai moi-même qu'une expérience très limitée jusqu'à présent. Je n'ai été marié qu'une fois ; c'était la conséquence d'un malentendu entre moi-même et une jeune personne.

ALGERNON, *nonchalamment* : Je ne sache pas, Lane, que votre vie de famille m'intéresse beaucoup.

LANE : Non, monsieur ; ce n'est pas un sujet très intéressant. Je n'y pense jamais moi-même.

ALGERNON : C'est très naturel, j'en suis certain. Cela suffira, Lane, merci.

LANE : Merci, monsieur.

(Il sort.)

ALGERNON : Il y a quelque laxisme dans les vues de Lane sur le mariage. En vérité, si le peuple ne nous donne pas le bon exemple, à quoi sert-il donc ? Ces gens, en tant que classe, n'ont absolument aucun sens de la responsabilité morale.

(LANE entre.)

LANE : M. Constant Worthing.

(JACK entre. LANE sort.)

ALGERNON : Comment vas-tu, mon cher Constant ? Qu'est-ce qui t'amène en ville ?

JACK : Le plaisir, le plaisir. Quoi d'autre nous amènerait, en principe, quelque part ? En train de manger, je vois, comme d'habitude, Algy ?

ALGERNON, *d'un ton guindé* : Je crois que la coutume dans la bonne société c'est de prendre une légère collation à cinq heures. Où étais-tu passé depuis jeudi dernier ?

---

6. **as a class** : **as** indique l'identification *(en tant que/comme classe)* et non la comparaison **like a class**, *comme une classe*.

7. **Enter**, l'absence de **s** vient du fait que l'on a ici une forme de subjonctif impératif : ordre à l'acteur d'entrer en scène.

8. **up to town** : *en ville* ; ici à *Londres*.

9. **Δ should** : renvoie à une idée de norme ou de principe.

10. **refreshment** : *collation*, ici (**eating**). **To refresh oneself with drinks** : *se rafraîchir* ; **to refresh oneself with food,** *se restaurer* ; **to refresh oneself with sleep,** *dormir pour reprendre des forces*.

JACK (*sitting down on the sofa*) : In the country.

ALGERNON : What on earth[1] do you do there ?

JACK (*pulling off his gloves*) : When one is in town one amuses oneself[2]. When one is in the country one amuses other people. It is excessively[3] boring.

ALGERNON : And who are the people you amuse ?

JACK (*airily*) : Oh, neighbours[4], neighbours.

ALGERNON : Got nice neighbours in your part of Shropshire ?

JACK : Perfectly horrid ! Never speak[5] to one them.

ALGERNON : How immensely[6] you must[7] amuse them ! (*Goes over and takes sandwich.*) By the way, Shropshire is your county, is it not ?[8]

JACK : Eh ? Shropshire ? Yes, of course. Hallo[9] ! Why all these cups ? Why cucumber sandwiches ? Why such reckless extravagance[10] in one so young[11] ? Who is coming to tea ?

ALGERNON : Oh ! merely Aunt Augusta and Gwendolen.

JACK : How perfectly delightful !

ALGERNON : Yes, that is all very well ; but I am afraid Aunt Augusta won't quite approve of[12] your being here.

JACK : May I ask why ?

ALGERNON : My dear fellow, the way you flirt with Gwendolen is perfectly disgraceful. It is almost as bad as the way Gwendolen flirts with you.

---

1. **on earth** : avec **what, why, how** etc. marque la surprise dans l'interrogation, le fait que celui qui pose la question a le plus grand mal à imaginer une réponse.

2. **one** et le réfléchi **oneself** = *on* dans un sens très général (maximes, préceptes etc.).

3. **excessively** [ik'sesɪvlɪ].

4. **neighbours** ['neibəz].

5. **Never speak** = I never speak.

6. **How immensely** : how exclamatif ou interrogatif est toujours suivi de l'adjectif ou adverbe sur lequel il porte.

7. **must** indique ici la conviction, la certitude de celui qui parle, **it must be true**, *ce doit être vrai (j'en suis convaincu)* ; le contraire est dans ce cas : **it can't be true**, *ça ne peut être vrai (je suis convaincu que ce n'est pas vrai)*.

8. **is it not**, la forme contractée **isn't it** est pratiquement de règle en anglais parlé actuel.

9. **Hallo** ! indique ici la surprise.

18

JACK, *s'asseyant sur le canapé* : A la campagne.

ALGERNON : Que diable fais-tu donc à la campagne ?

JACK, *retirant ses gants* : Lorsqu'on est en ville on s'amuse. Lorsqu'on est à la campagne on amuse les autres. C'est excessivement assommant.

ALGERNON : Et qui amuses-tu ?

JACK, *d'un ton badin* : Oh, des voisins, des voisins.

ALGERNON : Tu as de charmants voisins dans ton coin du Shropshire ?

JACK : Absolument horribles. Je ne leur adresse jamais la parole.

ALGERNON : Tu dois les amuser follement ! *(Il traverse la pièce pour prendre un sandwich.)* A propos, ton comté, c'est bien le Shropshire, n'est-ce pas ?

JACK : Hein ? Le Shropshire ? Oui, bien sûr. Oh, dis-donc, pourquoi toutes ces tasses ? Pourquoi ces sandwiches au concombre ? Pourquoi si folle prodigalité chez un homme si jeune ? Qui vient prendre le thé ?

ALGERNON : Oh, simplement Tante Augusta et Gwendolen.

JACK : Absolument charmant !

ALGERNON : Oui, tout cela est parfait, mais j'ai bien peur que Tante Augusta ne soit pas enchantée de te trouver ici.

JACK : Puis-je savoir pourquoi ?

ALGERNON : Mon cher, ta façon de flirter avec Gwendolen est parfaitement honteuse. Presque autant que la façon dont Gwendolen flirte avec toi.

---

10. △ **such reckless extravagance : such**, adjectif, porte sur un groupe nominal. Ex. : **such extravagance, such a man, such a young man**.
▲ - **extravagance** : signifie à la fois *extravagance* et *dépense inconsidérée*. **Extravagant**, de même, signifie *extravagant* et *dépensier*.

11. △ **so young : so**, adverbe, porte sur un adjectif **hors du groupe nominal**. **Ex. : one so young ; so young a man**. Ceci explique pourquoi il faut dire **such young men** et non **so** etc. car **young men** est un groupe nominal. Notez la place de l'article, le cas échéant : **such a young man ; so young a man.**

12. ▲ **approve of** : *approuver* dans le sens *d'être en faveur* ; mais **approve**, *approuver* dans le sens de *ratifier, homologuer, agréer*.

JACK : I am in love with Gwendolen. I have come up to town expressly to propose[1] to her.

ALGERNON : I thought you had come up for pleasure ? ...I call that business.

JACK : How utterly unromantic you are !

ALGERNON : I really don't see anything romantic[2] in proposing. It is very romantic to be in love. But there is nothing romantic about a definite[3] proposal. Why, one may be accepted. One usually is, I believe. Then the excitement is all over. The very[4] essence of romance[5] is uncertainty. If ever I get married, I'll certainly try to forget the fact.

JACK : I have no doubt about that, dear Algy. The Divorce Court was specially invented for people whose memories[6] are so curiously constituted.

ALGERNON : Oh, there is no use speculating[7] on that subject. Divorces are made in Heaven - (JACK *puts out his hand to take a sandwich.* ALGERNON *at once interferes.*) Please don't touch the cucumber sandwiches. They are ordered specially for Aunt Augusta. (*Takes one and eats it.*)

JACK : Well, you have been eating[8] them all the time.

ALGERNON : That is quite a different matter. She is my aunt. (*Takes plate from below.*) Have some bread and butter. The bread and butter is for Gwendolen. Gwendolen is devoted[9] to bread and butter.

---

1. ▲ **propose**, *faire une demande en mariage*, ici. De même, **proposal, proposition**, ont aussi le sens de *demande en mariage*. Par contre le verbe **to proposition** signifie *faire des propositions douteuses à*.

2. ▲ **romantic**, *romantique* ou *romanesque* ; mais à **romanticist**, *un (écrivain) romantique*.

Δ **anything romantic** : notez l'emploi de l'adjectif après **anything, something, nothing. There's nothing romantic**.

3. **definite** ['defɪnɪt], de même **infinite** ['ɪnfɪnɪt], mais **finite** ['faɪnaɪt], *fini, limité*.

4. Δ **very** adjectif. **He was caught in the very act**, *il s'est fait prendre en flagrant délit*.

5. ▲ **romance**, *conte de chevalerie* ; *roman à l'eau de rose* ; *romance* (musique) ; *charme et poésie* (**the romance of the sea**) ; et ici *idylle amoureuse*.

6. Δ **memories** : singulier en français ; chaque personne a une mémoire. Pour l'anglais, plusieurs personnes, donc plusieurs mémoires.

7. **There's no use speculating** = it's no use + −ing.

JACK : J'aime Gwendolen. Je suis venu à Londres tout exprès pour lui demander de m'épouser.

ALGERNON : Je te croyais venu pour le plaisir ? Moi, une demande en mariage, j'appelle ça des affaires.

JACK : Tu es un être totalement dénué de romantisme !

ALGERNON : Je ne vois vraiment rien de romantique dans une demande en mariage. Être amoureux, voilà qui est romantique ; mais il n'y a rien de romantique dans une proposition ferme de mariage. Tiens, on peut être accepté. On l'est, je crois, en général. Et alors le grand frisson c'est terminé. L'essence même de l'idylle romantique c'est l'incertitude. Si jamais je me marie, je m'efforcerai certainement de l'oublier.

JACK : Je n'en doute pas le moins du monde, mon cher Algy ! La Chambre des Divorces a été spécifiquement inventée pour des gens dont la mémoire est si curieusement constituée.

ALGERNON : Il est vain de spéculer sur ce sujet. Les divorces se font au ciel. (JACK *avance la main pour prendre un sandwich.*

ALGERNON *l'en empêche aussitôt.*) Ne touche pas aux sandwiches au concombre, s'il te plaît. Je les ai commandés spécialement pour tante Augusta. (*Il en prend un et le mange.*)

JACK : Mais toi tu n'as pas cessé un instant d'en manger.

ALGERNON : Ce n'est pas du tout la même chose. Il s'agit de ma tante. (*Il prend une assiette sur le plateau inférieur.*) Prends du pain beurré. Le pain beurré c'est pour Gwendolen. Gwendolen est vouée au pain beurré.

---

8. **you've been eating** : la forme en **-ing** exprime ici le reproche, et non le simple constat qu'une action est en cours.

9. ▲ **devoted to** : Wilde joue ici sur le sens de **devoted** *dévoué* et **devoted to**, *attaché, consacré, voué, à.* Ex. : **a devoted friend**, *un ami dévoué.* **He devoted himself to the cause of peace**, *il s'est consacré à la cause de la paix.*

JACK (*advancing to table and helping himself*) : And very good bread and butter it is too.

ALGERNON : Well, my dear fellow, you need not[1] eat as if you were going to eat it all. You behave as if you were married to her already. You are not married to her already[2], and I don't think you ever will be.

JACK : Why on earth do you say that ?

ALGERNON : Well, in the first place, girls never marry the men they flirt with. Girls don't think it right.

JACK : Oh, that is nonsense !

ALGERNON : It isn't. It is a great truth. It accounts for the extraordinary number of bachelors that one sees all over the place. In the second place, I don't give my consent.

JACK : Your consent ?

ALGERNON : My dear fellow, Gwendolen is my first cousin[3]. And before I allow you to marry her, you will have to clear up the whole question of Cecily. (*Rings bell.*)

JACK : Cecily ! What on earth do you mean ? What do you mean, Algy, by Cecily ! I don't know any one of the name of Cecily.

(*Enter* LANE.)

ALGERNON : Bring me that cigarette case Mr Worthing left in the smoking-room the last time he dined here.

LANE : Yes, sir.

(LANE *goes out.*)

JACK : Do you mean to say you have had[4] my cigarette case all this time ? I wish to goodness you had let me know. I have been writing frantic letters to Scotland Yard about it. I was very nearly offering a large reward.

ALGERNON : Well, I wish you would offer[5] one. I happen to be more than usually hard up[6].

---

1. △ **You need not** : need not exprime l'absence de nécessité par opposition à **must not** qui, lui, exprime la nécessité de ne pas faire quelque chose. **You must see him,** *vous devez le voir.* **You must not see him,** *vous ne devez pas le voir .* **You need not see him,** *vous n'avez pas besoin de le voir, il n'est pas nécessaire de le voir.* En anglais parlé actuel on emploiera de préférence les formes contractées **mustn't** et **needn't**. Notez la construction de **need,** dans cet emploi : négation formée avec **not,** need suivi de l'infinitif sans **to.**

2. △ **You are not married to her already** : ici la négation porte sur la proposition **are married to her** (voir la phrase précédente). Ne pas confondre avec la négation **not yet,** dans l'opposition **already,**

22

JACK *s'approche de la table et se sert* : Et de plus ce pain beurré est excellent.

ALGERNON : Dis-donc mon cher, ce n'est pas la peine de manger comme si tu allais tout avaler. Tu te conduis comme si déjà tu avais épousé Gwendolen. Tu ne l'as pas déjà épousée, et je ne pense pas que tu l'épouses jamais.

JACK : Pourquoi diable dis-tu cela ?

ALGERNON : Eh bien, en premier lieu, les jeunes filles n'épousent jamais les hommes avec lesquels elles flirtent. Elles ne trouvent pas cela correct.

JACK : Oh, c'est stupide.

ALGERNON : Pas du tout. C'est une grande vérité. Elle explique le nombre extraordinaire de vieux garçons que l'on voit partout. En second lieu, je ne donne pas mon consentement.

JACK : Ton consentement ?

ALGERNON : Mon cher ami, Gwendolen est ma cousine germaine. Et avant que je t'autorise à l'épouser, il te faudra expliquer clairement toute cette histoire de Cecily. (*Il sonne*).

JACK : Cecily ! Que diable veux-tu dire ? Que veux-tu dire avec Cecily, Algy ? Je ne connais personne de ce nom.

(LANE *entre*)

ALGERNON : Apportez-moi cet étui à cigarettes que M. Worthing a oublié dans le fumoir la dernière fois qu'il a dîné ici.

LANE : Bien, monsieur.

(*Il sort*)

JACK : Veux-tu dire que c'est toi qui a mon étui à cigarettes depuis tout ce temps ? J'aurais fort aimé que tu m'en avertisses. J'ai envoyé à ce propos des lettres furieuses à Scotland Yard. J'étais presque sur le point d'offrir une forte récompense.

ALGERNON : Eh bien, j'aimerais que tu en offres une. Il se trouve que je suis plus désargenté que de coutume.

---

déjà, **not yet**, *pas encore*.
3. ▲ **first cousin** ; *cousine germaine*.
4. **You have ... had ... all this time** : noter l'emploi du *present-perfect* correspondant au français présent + *depuis*.
5. **I wish you would** : exprime l'irréel du présent après **wish**.
6. **hard up** : ici, **hard up for money**, à court d'argent.

JACK : There is no good[1] offering a large reward now that the thing is found.

(*Enter* LANE *with the cigarette case on a salver.* ALGERNON *takes it at once.* LANE *goes out.*)

ALGERNON : I think that is rather mean[2] of you, Ernest, I must say. (*Opens case and examines it.*) However, it makes no matter[3], for, now that I look at the inscription inside, I find that the thing isn't yours after all.

JACK : Of course it's mine. (*Moving to him.*) You have seen me with it a hundred times, and you have no right whatsoever[4] to read what is written inside. It is a very ungentlemanly thing to read a private cigarette case[5].

ALGERNON : Oh ! it is absurd to have a hard and fast[6] rule about what one should read and what one shouldn't. More than half of modern culture[7] depends on what one shouldn't read.

JACK : I am quite aware of the fact, and I don't propose to discuss modern culture. It isn't the sort of thing one should talk of in private. I simply want my cigarette case back.

ALGERNON : Yes ; but this isn't your cigarette case. This cigarette case is a present from someone of the name of Cecily, and you said you didn't know anyone of that name.

JACK : Well, if you want to know, Cecily happens[8] to be my aunt.

ALGERNON : Your aunt !

JACK : Yes. Charming old lady she is, too. Lives at Tunbridge Wells[9]. Just give it back to me, Algy.

---

1. **There's no good** = It's no good (+ -ing).
2. **mean**, ici *mesquin*. Ne pas confondre avec le substantif **mean**, **the happy mean**, *le juste milieu*, non plus qu'avec **means** (singulier), *moyen(s), ressources, méthode*.
3. **It makes no matter**, tournure maintenant archaïque, pour **it does not matter**.
4. **whatsoever** = whatever. No right whatsoever = no right whatever it may be, *aucun droit quel qu'il soit/puisse être*. **Whatsoever** ne s'emploie qu'après le substantif.
5. **▲ case**, attention à la prononciation [keis].
6. **▲ fast** : *solide, durable*. Cf : **fast colours**, *couleurs grand teint* ; **to make a boat fast**, *amarrer un bateau*.

24

JACK : Il est inutile d'offrir une forte récompense maintenant que la chose est retrouvée.

(LANE *entre, présentant l'étui à cigarettes sur un plateau.* ALGERNON *le prend aussitôt.* LANE *sort.*)

ALGERNON : Je dois dire, Constant, que je trouve cela plutôt mesquin de ta part. (*Il ouvre l'étui et l'examine.*) Quoi qu'il en soit, cela n'a pas d'importance, car en regardant ce qui est inscrit à l'intérieur je constate que cet objet, en définitive, ne t'appartient pas.

JACK : Naturellement qu'il m'appartient. (*Il s'avance vers* ALGERNON.) Tu as pu le constater cent fois, et tu n'as absolument pas le droit de lire ce qui est inscrit à l'intérieur. Il est indigne d'un gentleman de lire un étui à cigarettes personnel !

ALGERNON : Il est absurde de suivre une règle inflexible quand il s'agit de ce que l'on doit ou ne doit pas lire. Plus de la moitié de la culture moderne repose sur ce que l'on ne devrait pas lire.

JACK : J'en suis tout à fait conscient, et il n'est pas dans mon propos de discuter de culture moderne. Ce n'est pas le genre de sujet qu'il convient d'aborder en privé. Je veux simplement qu'on me rende mon étui à cigarettes.

ALGERNON : Bien sûr, mais cet étui ne t'appartient pas. Cet étui est un cadeau offert par quelqu'un qui se nomme Cecily, or tu as dit que tu ne connaissais personne de ce nom.

JACK : Bon, si tu tiens à le savoir, il se trouve que Cecily est ma tante.

ALGERNON : Ta tante !

JACK : Oui. Et de plus, une charmante vieille dame. Elle habite Tunbridge Wells. Rends-le moi, tout simplement, Algy.

---

7. **modern culture** : **Wilde** fait ici référence à l'habitude victorienne de censurer certains passages des classiques et de Shakespeare en particulier.

8. Δ **happens** : notez la construction personnelle du verbe **happen**, auquel correspond généralement en français l'expression impersonnelle *il se trouve que*.

9. **Tunbridge Wells** : ville bourgeoise et résidentielle au sud-ouest de Londres.

ALGERNON (*retreating to back of sofa*) : But why does she call herself little Cecily if she is your aunt and lives at Tunbridge Wells ?[1] (*Reading.*) 'From little Cecily with her fondest[2] love.'

JACK (*moving to sofa and kneeling upon it*) : My dear fellow, what on earth[3] is there in that ? Some aunts are tall, some aunts are not tall. That is a matter that surely an aunt may be allowed to decide for herself[4]. You seem to think that every aunt should be exactly like your aunt ! That is absurd. For Heaven's sake give me back my cigarette case. (*Follows* ALGERNON *round the room.*)

ALGERNON : Yes. But why does your aunt call you her uncle ? 'From little Cecily, with her fondest love to her dear Uncle Jack.' There is no objection, I admit, to an aunt being[5] a small aunt, but why an aunt, no matter what her size may be, should call her own nephew her uncle, I can't quite make out. Besides, your name isn't Jack at all ; it is Ernest.

JACK : It isn't Ernest ; it's Jack.

ALGERNON : You have always told me it was Ernest. I have introduced you to every one as Ernest. You answer to the name of Ernest. You look as if your name was Ernest. You are the most earnest-looking person[6] I ever saw in my life. It is perfectly absurd your saying that your name isn't Ernest. It's on your cards. Here is one of them. (*Taking it from case.*) 'Mr Ernest Worthing, B.4, The Albany[7].' I'll keep this as a proof that your name is Ernest if ever[8] you attempt to deny it to me, or to Gwendolen, or to anyone else. (*Puts the card in his pocket*).

JACK : Well, my name is Ernest in town and Jack in the country, and the cigarette case was given to me in the country.

---

1. **Tunbridge Wells**. Cf. p. 25 note 9.
2. **fond**, adjectif, *affectueux*. Cf. **to be fond of**, *aimer*.
3. **What on earth**... ? On a déjà rencontré cette expression. Elle peut, dans une traduction en français, se rendre par *diable (que diable allait-il faire... ?)*, par *bien (que peut-il bien faire ?)* ou encore, comme ici, par une intonation particulière.
4. **for herself**, littéralement « *pour elle-même* ».
5. **to an aunt being...**, notez la construction **objection to** (+ complément) + **-ing**.

ALGERNON, *se retranchant derrière le canapé* : Mais pourquoi se
 qualifie-t-elle de petite Cecily, si c'est ta tante et si elle habite
 à Tunbridge Wells ? *(Il lit.)* « De la part de la petite Cecily, avec
 toute son affection. »

JACK *s'approche du canapé, sur lequel il s'agenouille* : Mon cher
 ami, qu'y a-t-il de mystérieux là-dedans ? Il y a des tantes qui
 sont grandes, et d'autres qui ne le sont pas. C'est une question
 dont elles peuvent assurément être autorisées à décider elles-
 mêmes. Tu as l'air de croire que toute tante devrait être exactement comme la tienne ! C'est absurde. Pour l'amour du ciel,
 rends-moi mon étui. *(Il suit* ALGERNON *tout autour du salon.)*

ALGERNON : Soit. Mais pourquoi t'appelle-t-elle son oncle ? « De
 la part de la petite Cecily, avec toute son affection, à son cher
 oncle Jack. » Il n'y a aucune objection, je l'admets, à ce qu'une
 tante soit petite ; mais pour quelle raison une tante, peu importe
 sa taille, appellerait son propre neveu son oncle, voilà ce que
 je ne m'explique pas. En outre, tu ne t'appelles pas Jack, mais
 Constant.

JACK : Je ne m'appelle pas Constant ; je m'appelle Jack.

ALGERNON : Tu m'as toujours dit que tu t'appelais Constant. Je t'ai
 présenté à tout le monde sous le nom de Constant. Tu as un
 air à t'appeler Constant. Tu es l'être qui a le plus constamment
 la tête d'un Constant que j'aie jamais rencontré. Il est parfaitement absurde de dire que tu ne t'appelles pas Constant : c'est
 écrit sur tes cartes de visite. En voici une. *(Il la sort de l'étui.)*
 « M. Constant Worthing, B. 4, The Albany. » Je vais la garder
 comme preuve que tu t'appelles Constant si jamais tu cherches
 à le nier devant moi, devant Gwendolen, ou toute autre personne. *(Il met la carte dans sa poche.)*

JACK : Eh bien, je m'appelle Constant à la ville et Jack à la campagne, et c'est à la campagne que cet étui m'a été offert.

---

6. **You are the most earnest-looking person** : notez la formation
de l'adjectif composé **earnest-looking**. Premier exemple du jeu
de mots sur **Ernest** et **earnest**, d'où l'adaptation en français *constamment Constant*.

7. **The Albany** : résidence de luxe, au centre de Londres entre
Piccadilly et **Regent Street**. **Albany** est l'appellation la plus courante, mais les snobs préfèrent dire **The Albany**.

8. **ever**, cette phrase montre bien que **ever** ne s'applique pas seulement au passé.

ALGERNON : Yes, but that does not account for the fact that your small Aunt Cecily, who lives at Tunbridge Wells, calls you her dear uncle. Come, old boy, you had much better have the thing out[1] at once.

JACK : My dear Algy, you talk exactly as if you were a dentist[2]. It is very vulgar to talk like a dentist when one isn't a dentist. It produces a false impression.

ALGERNON : Well, that is exactly what dentists always do. Now, go on ! Tell me the whole thing. I may mention that I have always suspected you of being a confirmed and secret Bunburyist[3] ; and I am quite sure of it now.

JACK : Bunburyist ? What on earth do you mean by a Bunburyist ?

ALGERNON : I'll reveal to you the meaning of that incomparable expression as soon as you are[4] kind enough to inform me why you are Ernest in town and Jack in the country.

JACK : Well, produce my cigarette case first.

ALGERNON : Here it is. (*Hands cigarette case.*) Now produce your explanation, and pray[5] make it improbable. (*Sits on sofa.*)

JACK : My dear fellow, there is nothing improbable about my explanation at all. In fact it's perfectly ordinary. Old Mr Thomas Cardew, who adopted me when I was a little boy, made me in his will[6] guardian[7] to his granddaughter, Miss Cecily Cardew. Cecily, who addresses me as her uncle from motives of respect that you could not possibly appreciate[8], lives at my place[9] in the country under the charge of her admirable governess, Miss Prism[10].

---

1. **have the thing out** = tell the whole thing.
2. **dentist** : Cf. : to have a tooth out, *se faire arracher une dent*. Un dentiste pourra dire à son patient : **we'll have it out**, *nous allons l'arracher*.
3. **Bunburyist** : il faut, comme Jack, attendre les explications qui seront ultérieurement fournies par Algernon.
4. **as soon as you are** : pas de futur après une conjonction de subordination temporelle.
5. **pray**, on dirait aujourd'hui **please**.
6. **will** : ici, substantif, *testament*.
7. **guardian** ['ga:dian] *tuteur*. Pas d'article devant l'attribut désignant une fonction unique.
8. **appreciate** [ə'pri:ʃieit].

28

ALGERNON : Bon, mais cela n'explique pas pourquoi ta petite tante Cecily, qui habite Tunbridge Wells, t'appelle son cher oncle. Allez mon vieux, tu ferais bien mieux de cracher le morceau sans plus tarder.

JACK : Mon cher Algy, à t'entendre on te prendrait pour un dentiste. Il est très vulgaire de parler comme un dentiste lorsque l'on n'est pas dentiste. Cela crée une fausse impression.

ALGERNON : Eh bien, c'est exactement ce que font tous les dentistes. Allez, maintenant, raconte-moi toute cette histoire. Je peux t'indiquer que je t'ai toujours soupçonné d'être en secret un Bunburyste confirmé ; mais aujourd'hui j'en suis absolument convaincu.

JACK : Bunburyste ? Qu'est-ce que tu peux bien entendre par là ?

ALGERNON : Je te révélerai la signification de cette incomparable expression dès que tu auras eu la bonté de m'apprendre pourquoi tu es Constant à la ville et Jack à la campagne.

JACK : Bien, mais donne-moi d'abord mon étui à cigarettes.

ALGERNON : Le voici. (*Il lui tend l'étui.*) Maintenant donne-moi ton explication, et, s'il te plaît, veille à ce qu'elle soit peu plausible. (*Il s'assied sur le canapé.*)

JACK : Mon cher, il n'y a rien dans cette explication qui ne soit plausible d'un bout à l'autre. Elle est, en vérité, d'une parfaite banalité. Le vieux M. Thomas Cardew, qui m'a adopté lorsque j'étais petit, m'a, par testament, institué tuteur de sa petite-fille, Miss Cecily Cardew. Cecily, qui m'appelle son oncle pour des raisons que lui inspire le respect et que tu serais bien incapable d'apprécier, habite chez moi, à la campagne, confiée aux soins de son admirable gouvernante, Miss Prism.

---

9. **at my place** = in my house.

10. **miss Prism** : le nom de la gouvernante est suggéré par Dickens (*Little Dorrit*). « Papa, potatoes, poultry, prunes and prisms **are all very good words for the lips, especially prunes and prisms.** » Les gouvernantes étaient censées enseigner, entre autres, le maintien, et l'art de faire bonne figure, au propre comme au figuré, en société.

ALGERNON : Where is that place in the country, by the way ?

JACK : That is nothing to you, dear boy. You are not going to be invited... I may tell you candidly[1] that the place is not in Shropshire.

ALGERNON : I suspected that, my dear fellow ! I have Bunburyed all over Shropshire on two separate occasions. Now, go on. Why are you Ernest in town and Jack in the country ?

JACK : My dear Algy, I don't know whether you will be able to understand my real motives. You are hardly serious enough. When one is placed in the position of guardian, one has to adopt a very high moral tone on all subjects. It's one's duty to do so[2]. And as a high moral tone can hardly be said to conduce[3] very much to either one's health or one's happiness, in order to get up to town I have always pretended to[4] have a younger brother of the name of Ernest, who lives in the Albany, and gets into the most dreadful scrapes. That, my dear Algy, is the whole truth pure and simple.

ALGERNON : The truth is rarely pure and never simple. Modern life would be very tedious if it were either[5], and modern literature a complete impossibility !

JACK : That wouldn't be at all a bad thing.

ALGERNON : Literary criticism[6] is not your forte, my dear fellow. Don't try it. You should leave that to people who haven't been at a University[7]. They do it so well in the daily papers. What you really are is a Bunburyist. I was quite right in saying you were a Bunburyist. You are one of the most advanced Bunburyists I know.

JACK : What on earth do you mean ?

---

1. **△ candidly** : candid signifie *sincère*. *Candide* peut être traduit par **ingenuous**.
2. **to do so** : **do so** peut être employé pour reprendre une proposition : **it's one's duty to adopt a very high moral tone on all subjects**.
3. **conduce**, en parlant d'un événement, *conduire (à)* ; on dira plus couramment aujourd'hui **lead**.
4. **△ pretended to**, signifie plutôt *faire semblant de*. **He pretends to work**, *il fait semblant de travailler*. Il est employé ici dans le même sens que **pretend that**, *prétendre que*. Notez aussi la construction **pretend** + complément : **he pretends ignorance**, *il fait semblant de ne pas savoir*.

ALGERNON : Où est-ce, chez toi à la campagne, à propos ?

JACK : Cela ne peut pas t'intéresser, mon cher. On ne va pas t'y inviter... Je peux t'indiquer, en toute franchise, que ce n'est pas dans le Shropshire.

ALGERNON : Je m'en doutais, mon cher. J'ai Bunburysé d'un bout à l'autre du Shropshire en deux occasions différentes. Allez, continue. Pourquoi es-tu Constant à la ville et Jack à la campagne ?

JACK : Mon cher Algy, je ne sais si tu pourras comprendre mes raisons profondes. Tu manques par trop de sérieux. Lorsque l'on se trouve placé dans la situation de tuteur, il faut aborder tous les sujets avec une très grande élévation morale. C'est un devoir. Et comme on ne peut dire qu'une très grande élévation morale ouvre largement la voie qui conduit ou à la santé ou au bonheur, j'ai toujours prétendu, afin de pouvoir me rendre en ville que j'y ai un frère cadet qui habite l'Albany et se retrouve mêlé aux histoires les plus terribles. Voilà, mon cher Algy, toute la vérité, pure et simple.

ALGERNON : Il est rare que la vérité soit pure et simple. Si elle était ou l'un ou l'autre, la vie moderne serait fort ennuyeuse, et la littérature moderne totalement impossible.

JACK : Ce ne serait pas du tout une mauvaise chose.

ALGERNON : La critique littéraire n'est pas ton fort, mon cher ami. Tu devrais bien laisser cela à ceux qui ne sont pas allés à l'Université : ils y réussissent si bien dans les quotidiens. Ta véritable nature est celle d'un Bunburyste. J'avais parfaitement raison de dire que tu étais un Bunburyste ; tu es l'un des plus éminents Bunburystes que je connaisse.

JACK : Qu'est-ce que tu peux bien vouloir dire ?

---

5. △ **either** : if it were pure or simple. Either = *l'un ou l'autre* ; alors que **both** signifie *l'un et l'autre*.

6. △ **criticism** ['krɪtɪsɪzəm], *la (une) critique* ; peut s'employer au pluriel. Ne pas confondre avec a **critic**, *un critique* ; a **film critic**, *un critique de cinéma*.

7. **people who haven't been at a University** : on peut voir ici une pique à l'adresse de **Bernard Shaw**.

ALGERNON : You have invented a very useful younger brother called Ernest, in order that[1] you may be able to come up to town as often as you like. I have invented an invaluable permanent invalid[2] called Bunbury, in order that I may be able to go down into the country whenever[3] I choose. Bunbury is perfectly invaluable. If it wasn't for[4] Bunbury's extraordinary bad health, for instance, I wouldn't be able to dine with you at Willis's[5] tonight, for I have been really engaged to Aunt Augusta for more than a week.

JACK : I haven't asked you to dine with me anywhere tonight.

ALGERNON : I know. You are absurdly careless about sending out invitations. It is very foolish of you. Nothing annoys[6] people so much as not receiving invitations.

JACK : You had much better dine with your Aunt Augusta.

ALGERNON : I haven't the smallest intention of doing anything of the kind. To begin with, I dined there on Monday and once a week is quite enough to dine with one's own relations[7]. In the second place, whenever I do dine there I am always treated as a member of the family, and sent down with either no woman at all, or two. In the third place, I know perfectly well whom she will place me next to, tonight. She will place me next Mary Farquhar[8], who always flirts with her own husband across the dinner-table. That is not very pleasant. Indeed, it is not even decent[9]... and that sort of thing is enormously on the increase. The amount of women in London who flirt with their own husbands is perfectly scandalous[10].

---

1. **In order that**, dans la langue courante on emploiera **so that**.
2. **△ invalid**, *malade*, ici ; signifie également *infirme*. **Invalid chair**, *fauteuil d'infirme*. **Invalid carriage**, *voiture d'infirme*. **To invalid somebody out**, *réformer quelqu'un*.
3. **whenever** : généralisation de **when** = *chaque fois que, toutes les fois que*.
4. **△ If it was not for** = but for, *sans*.
5. **Willis's**, restaurant chic de **St James's**, à l'époque de **Wilde**, succédant à un club célèbre fondé au XVIII° siècle.
6. **annoy** [ə'nɔi].
7. **△ relations**, *parents* mais l'anglais **parents** signifie *père et mère* ; **a parent**, *le père ou la mère*. **He is no relation of mine**, *il n'est pas de ma famille* ; mais on dira : **He is an acquaintance of mine**, *c'est une de mes relations*.

ALGERNON : Tu t'es inventé un frère cadet très commode nommé
   Constant afin de pouvoir venir à Londres aussi souvent que tu
   en as envie. Moi je me suis inventé un inestimable malade chronique nommé Bunbury afin de pouvoir me rendre à la campagne chaque fois que je le désire. Bunbury est absolument inestimable. Sans la santé extraordinairement défaillante de Bunbury, par exemple, il me serait impossible de dîner avec toi
   ce soir chez Willis, car cela fait plus de huit jours que je suis
   retenu pour dîner chez tante Augusta.

JACK : Je ne t'ai invité à dîner nulle part, ce soir.

ALGERNON : Je le sais. Tu es d'une négligence insensée quand il
   s'agit d'envoyer des invitations. C'est vraiment stupide de ta
   part. Il n'y a rien de plus agaçant que de ne pas recevoir
   d'invitations.

JACK : Tu ferais bien mieux de dîner avec ta tante Augusta.

ALGERNON : Je n'ai pas la moindre intention de faire ce genre de
   chose. D'abord, j'ai dîné chez elle lundi, et dîner avec la famille
   une fois par semaine est amplement suffisant. En second lieu,
   à chaque fois que je dîne chez elle on me traite toujours en mem-
   bre de la famille et je me retrouve à table sans femme du tout
   ou bien avec deux. En troisième lieu, je sais parfaitement près
   de qui elle va me placer ce soir. Elle va me mettre à côté de
   Mary Farquhar, qui ne cesse de flirter avec son mari placé de
   l'autre côté de la table. Ce n'est pas très agréable, que dis-je,
   c'est même indécent... et ce genre de pratique se répand énormément. Le nombre de femmes, à Londres, qui flirtent avec
   leur mari est parfaitement scandaleux. Cela fait très mauvais
   effet.

---

8. **next Mary Farquhar** : on observe que dans la phrase précédente Wilde avait employé **next to** (à cause du déplacement du
relatif par rapport à la préposition : **whom... next to**). Le nom de
Farquhar suggère les liens littéraires qui existent entre Wilde et
la tradition du théâtre anglais. **George Farquhar** était un auteur
de comédies de la Restauration (1678-1707).
9. **decent** ['di:sənt].
10. **scandalous** ['skændələs].

It looks so bad. It is simply washing one's clean linen in public. Besides, now that I know you to be[1] a confirmed Bunburyist I naturally want to talk to you about Bunburying. I want to tell you the rules.

JACK : I'm not a Bunburyist at all. If Gwendolen accepts me, I am going[2] to kill my brother, indeed I think I'll[3] kill him in any case. Cecily is a little too much interested in him. It is rather a bore[4]. So I am going to get rid of Ernest. And I strongly advise you to do the same with Mr ... with your invalid friend who has the[5] absurd name.

ALGERNON : Nothing will induce me to part with Bunbury, and if you ever get married, which[6] seems to me extremely problematic, you will be very glad to know Bunbury. A man who marries without knowing Bunbury has a very tedious time of it[7].

JACK : That is nonsense. If I marry a charming girl like Gwendolen, and she is the only girl I ever saw[8] in my life that I would marry, I certainly won't want to know Bunbury.

ALGERNON : Then your wife will[9]. You don't seem to realize, that in married life three is company[10] and two is none.

JACK (*sententiously*) : That my dear young friend, is the theory that the corrupt French Drama[11] has been propounding for the last fifty years.

ALGERNON : Yes ; and that the happy English home has proved in half the time.

---

1. **I know you to be** : la construction avec l'infinitif plutôt qu'avec that (I know that you are) est plus fréquente avec le passif : **you are known to be a confirmed Bunburyist**.

2-3. **I'm going to... I'll**. Ces deux manières d'exprimer le futur ne sont pas tout à fait équivalentes. **I am going to** indique que l'intention est déjà arrêtée, associée ici à un futur proche. **I'll** exprime plutôt que le sujet prend la résolution au moment même où il parle, sans préciser quand il passera à l'acte.

4. **bore** : ici *chose ennuyeuse* ; signifie également *individu ennuyeux* : **an old bore**, *un vieux raseur*.

5. **the absurd name** : the a ici la valeur d'un démonstratif.

6. **△ which** : relatif de liaison, sujet de **seems**, reprend toute la proposition précédente (**if you ever get married**).

7. **has a very tedious time of it**, le sens littéral est à peu près : « *de cela, il résulte une période d'ennui* », ce qui ne peut être considéré comme une traduction acceptable.

Cela revient tout simplement à laver son linge propre en public. Par ailleurs, sachant maintenant que tu es un éminent Bunburyste, je veux naturellement t'entretenir de la pratique du Bunburysme. Je veux t'en apprendre les règles.

JACK : Je ne suis pas Bunburyste du tout. Si Gwendolen m'accepte, je m'en vais tuer mon frère ; et même, de toute manière, je crois que je le tuerai. Cecily s'intéresse un peu trop à lui ; cela devient embêtant. Je m'en vais donc me débarrasser de Constant, et je te conseille vivement de faire de même avec M. ... avec ton ami grabataire qui porte ce nom ridicule.

ALGERNON : Rien ne m'incitera à me séparer de Bunbury, et si tu te maries, ce qui me paraît extrêmement problématique, tu seras très heureux de connaître Bunbury. Pour un homme, se marier sans connaître Bunbury, c'est s'exposer à une vie bien ennuyeuse.

JACK : C'est absurde. Si j'épouse une charmante jeune fille comme Gwendolen, et c'est la seule jeune fille que j'aie vue de ma vie que je voudrais épouser, je n'éprouverai certainement pas l'envie de connaître Bunbury.

ALGERNON : Alors c'est ta femme qui en aura envie. Tu n'as pas l'air de te rendre compte que dans la vie conjugale c'est à trois qu'on se tient compagnie, pas à deux.

JACK, *d'un ton sentencieux* : Cela, mon jeune ami, c'est la théorie que le théâtre corrompu des Français nous propose depuis cinquante ans.

ALGERNON : Oui, et dont le bonheur domestique des Anglais a fait la preuve en deux fois moins de temps.

---

8. △ **the only girl I ever saw** : l'emploi du present perfect serait plus normal, puisque le temps représenté par **ever** inclut le moment où **Jack** parle. (**The only girl I have ever seen.**)

9. **will** : reprise du verbe (**want to know**) par le seul auxiliaire.

10. **three is company** : exemple typique (voir aussi **divorces are made in heaven** ou **washing one's clean linen in public**) de la manière dont **Wilde** renverse les termes des expressions et aphorismes courants, tant sur le plan de la langue que sur celui de la morale. C'est un des ressorts de son humour et de son comique.

11. **corrupt French drama** : allusion au fait que l'adultère est chose commune dans le théâtre français, et que les Français passent pour avoir des mœurs corrompues.

JACK : For heaven's sake, don't try to be cynical. It's perfectly easy to be cynical.

ALGERNON : My dear fellow, it isn't easy to be anything[1]
nowadays. There's such a lot of beastly competition[2]
about[3]. (*The sound of an electric bell is heard.*) Ah !
that must be Aunt Augusta. Only relatives, or creditors,
ever ring in that Wagnerian manner. Now, if I get her
out of the way for ten minutes, so that you can have an
opportunity[4] for proposing to Gwendolen, may I dine
with you tonight at Willis's ?

JACK : I suppose so, if you want to.

ALGERNON : Yes, but you must be serious about it. I hate
people who are not serious about meals. It is so
shallow[5] of them.

(*Enter* LANE.)

LANE : Lady Bracknell and Miss Fairfax.

(ALGERNON *goes forward to meet them.*
Enter LADY BRACKNELL *and* GWENDOLEN.)

LADY BRACKNELL : Good afternoon, dear Algernon. I hope
you are behaving[6] very well.

ALGERNON : I'm feeling very well, Aunt Augusta.

LADY BRACKNELL : That's not quite the same thing. In fact the
two things rarely go together. (*Sees* JACK *and bows to
him with icy coldness.*)

ALGERNON (*to* GWENDOLEN) : Dear me, you are smart[7] !

GWENDOLEN : I am always smart ! Am I not, Mr Worthing ?

JACK : You're quite perfect, Miss Fairfax.

GWENDOLEN : Oh ! I hope I am not that. It would leave no
room[8] for developments, and I intend to develop in
many directions. (GWENDOLEN *and* JACK *sit down together
in the corner.*)

---

1. **anything** et non **something** ici. Ce n'est pas la négation qui jus-
tifie l'emploi de **anything** (elle ne porte que sur **easy** : it **isn't easy**
= it **is difficult**). Comme le montre la traduction, **anything** permet d'envisager n'importe quelle chose, tous les possibles ima-
ginables, alors que **something** indiquerait que l'on envisage une
chose particulière, mais non précisée. Ex. : **Anything would be
better than that**, *tout* (= *n'importe quelle chose*) *serait préféra-
ble à cela*. **We must do something to help him**, *il faut faire quelque chose* (= *une chose*) *pour l'aider*.
2. **A competition** : *compétition* ou *concurrence*. *Une compétition
sportive*, **a sporting event**.

36

JACK : Pour l'amour du ciel, ne joue pas les cyniques. Il est très facile d'être cynique.

ALGERNON : Mon cher, être quoi que ce soit, ce n'est pas facile de nos jours : nous sommes dans une situation de concurrence si acharnée. (*On entend un coup de sonnette électrique.*) Ah ! Ce doit être Tante Augusta ! Seuls des gens de la famille ou des créanciers sonnent dans ce style wagnérien. Dis-moi, si je l'éloigne pendant une dizaine de minutes, afin que tu aies la possibilité de présenter ta demande à Gwendolen, est-ce que je pourrai dîner avec toi ce soir chez Willis ?

JACK : Je le suppose, si tu le souhaites.

ALGERNON : Bien, mais il faut que tu prennes cela très au sérieux. J'ai horreur des gens qui ne sont pas sérieux en matière de repas. C'est faire preuve d'une telle futilité.

(LANE *entre.*)

LANE : Lady Bracknell et Miss Fairfax.

(ALGERNON *s'avance à leur rencontre,*
LADY BRACKNELL *et* GWENDOLEN *entrent.*)

LADY BRACKNELL : Bonjour, mon cher Algernon, j'espère que tu te comportes bien.

ALGERNON : Je me porte très bien, Tante Augusta.

LADY BRACKNELL : Ce n'est pas tout à fait la même chose. A la vérité, les deux choses vont rarement ensemble. (*Elle aperçoit* JACK *et, avec une froideur glaciale, lui adresse un salut de la tête.*)

ALGERNON , à *Gwendolen* : Mazette ! Comme tu es élégante !

GWENDOLEN : Je suis toujours élégante. N'est-ce pas, M. Worthing ?

JACK : Vous êtes absolument parfaite, Miss Fairfax.

GWENDOLEN : J'espère que non ! Cela m'interdirait tout progrès, et j'ai bien l'intention de progresser dans de nombreux domaines. (GWENDOLEN *et* JACK *s'asseyent ensemble dans le coin.*)

---

3. △ **about** est ici adverbe signifiant *alentour*, et non pas *au sujet de*.

4. ▲ **opportunity**, *occasion*. Opportunité se traduirait par **timeliness** (**timely**, *qui vient à point nommé*), **opportuneness**, ou **appropriateness**.

5. **shallow** : *sans profondeur*. A shallow river. A shallow mind, *un esprit superficiel*.

6. **behaving** ; to behave, *se comporter, se conduire*, **behaviour** [bɪ'heɪvjə], *comportement*.

7. **smart**, *élégant* ; mais aussi : *fin, spirituel*.

8. **no room**, *pas de place* ; **to make room for**, *faire place à*.

LADY BRACKNELL : I'm sorry if we are a little late, Algernon, but I was obliged to call on[1] dear Lady Harbury. I hadn't been there since her poor husband's death. I never saw[2] a woman so altered[3] ; she looks quite twenty years younger. And now I'll have a cup of tea, and one of those nice cucumber sandwiches you promised[4] me.

ALGERNON : Certainly, Aunt Augusta. (*Goes over to tea-table.*)

LADY BRACKNELL : Won't you come and sit here, Gwendolen ?

GWENDOLEN : Thanks, mamma, I'm quite comfortable[5] where I am.

ALGERNON (*picking up empty plate in horror*) : Good heavens ! Lane ! Why are there no cucumber sandwiches ? I ordered them specially.

LANE (*gravely*) : There were no cucumbers in the market[6] this morning[7], sir. I went down twice.

ALGERNON : No cucumbers !

LANE : No, sir. Not even for ready money[8].

ALGERNON : That will do, Lane, thank you.

LANE : Thank you sir. (*Goes out.*)

ALGERNON : I am greatly distressed, Aunt Augusta, about there being[9] no cucumbers, not even for ready money.

LADY BRACKNELL : It really makes no matter, Algernon. I had some crumpets[10] with Lady Harbury, who seems to me to be living entirely for pleasure now.

ALGERNON : I hear[11] her hair[12] has turned quite gold from grief.

---

1. Δ **call on**, *rendre visite* ; **call up**, *appeler au téléphone* ; **call off**, *annuler* : **they had to call off the match.**

2. **I never saw** = I have never seen.

3. **altered**, en parlant d'une personne, *changée en mal*, d'où ici l'effet comique. Attention à la prononciation ['ɒltəd].

4. Δ **promised** ['prɒmɪst].

5. Δ **comfortable** ['kʌmfətəbl].

6. **in the market**. On peut dire également **on the market. To put something on the market**, *mettre quelque chose sur le marché*. Aujourd'hui l'expression **to be in the market for something** signifie *être acheteur de quelque chose.*

7. **this morning**. On se rappelle que la scène se situe l'après-midi, à l'heure du thé. **This morning** renvoie donc à une période révolue. C'est pourquoi Lane emploie le prétérit (**there were**). Par contre il aurait pu dire : **there have been no cucumbers today. Today** =

38

LADY BRACKNELL : Je suis navrée de ce léger retard, Algernon, mais j'ai été obligée de rendre visite à cette chère Lady Harbury. Je n'étais pas allée chez elle depuis la mort de son pauvre mari. Je n'ai jamais vu une femme changée à ce point ; elle a rajeuni de vingt ans. Et maintenant je vais prendre une tasse de thé et l'un de ces délicieux sandwiches au concombre que tu m'as promis.

ALGERNON : Certainement, Tante Augusta. (*Il se dirige vers la table.*)

LADY BRACKNELL : Ne veux-tu pas venir t'asseoir ici, Gwendolen ?

GWENDOLEN : Merci, maman, je suis très bien où je suis.

ALGERNON, *prend, horrifié, une assiette vide* : Bonté divine ! Lane ! Pourquoi n'y a-t-il pas de sandwiches au concombre ? Je les ai commandés tout spécialement:

LANE, *gravement* : Il n'y avait pas de concombres au marché ce matin, monsieur. J'y suis allé deux fois.

ALGERNON : Pas de concombres !

LANE : Non, monsieur. Pas même contre argent comptant.

ALGERNON : Vous pouvez disposer, Lane, merci.

LANE : Merci, monsieur. (*Il sort.*)

ALGERNON : Pas de concombres, pas même contre argent comptant, cela m'afflige profondément, tante Augusta.

LADY BRACKNELL : Cela n'a vraiment pas d'importance, Algernon. J'ai pris quelques crumpets avec Lady Harbury, qui me semble maintenant se consacrer entièrement au plaisir.

ALGERNON : Il paraît qu'elle est devenue blonde comme l'or sous l'effet du chagrin.

---

période non terminée, donc emploi du **present-perfect**.

8. **ready money** ou **ready cash**, *argent liquide*.

9. △ **about there being** : about, préposition, est donc suivi d'un nom ou d'un nom verbal. Le nom verbal qui correspond au verbe dans l'expression **there were no cucumbers** est très normalement **there being no cucumbers. Makes no matter = it does not matter.**

10. **crumpets**, *petites crêpes épaisses* servies chaudes et beurrées.

11. △ **hear**, ici *entendre dire*. **I hear that**, *j'ai entendu dire/j'ai appris que*.

12. ▲ **hair** (singulier sans article) = *cheveux*. ▲ **hair**, *un cheveu* ou *un poil*. **A head of hair**, *une chevelure*, ex. : **she has a fine head of hair**.

LADY BRACKNELL : It certainly has changed its colour. From what cause I, of course, cannot say. (ALGERNON *crosses and hands tea*.) Thank you, I've quite a treat for you tonight, Algernon. I am going to send you down with Mary Farquhar. She is such a nice woman, and so attentive to her husband. It's delightful to watch them.

ALGERNON : I am afraid, Aunt Augusta, I shall have to give up the pleasure of dining with you tonight after all.

LADY BRACKNELL (*frowning*) : I hope not[1], Algernon. It would put my table completely out. Your uncle would have to dine upstairs. Fortunately he is accustomed to that.

ALGERNON : It is a great bore, and, I need hardly say, a terrible disappointment to me, but the fact is I have just had a telegram to say that my poor friend Bunbury is very ill again. (*Exchanges glances with* JACK.) They seem to think I should be with him.

LADY BRACKNELL : It is very strange. This Mr Bunbury seems to suffer from curiously bad health.

ALGERNON : Yes ; poor Bunbury is a dreadful invalid.

LADY BRACKNELL : Well, I must say, Algernon, that I think it is high time that Mr Bunbury made up[2] his mind whether he was going to live or to die. This shilly-shallying[3] with the question is absurd. Nor do I[4] in any way approve of the modern sympathy[5] with invalids. I consider it morbid. Illness of any kind is hardly a thing to be encouraged[6] in others. Health is the primary duty of life. I am always telling that to your poor uncle, but he never seems to take much notice... as far as any improvement in his ailment[7] goes.

---

1. △ **I hope not** : il ne s'agit pas de la forme négative de **hope**. Il s'agit de la reprise négative de la proposition précédente. La reprise affirmative correspondante serait **I hope so**. Ex. : Quelqu'un dit : **It looks like rain**. *On dirait qu'il va pleuvoir*. Je peux répondre, selon ce que j'espère, **I hope not**, *J'espère que non*, ou **I hope so**, *J'espère bien*.

2. △ **It is high time that Mr Bunbury made up his mind** : made **up** n'a pas ici la valeur temporelle d'un prétérit ; il s'agit d'un irréel du présent, exprimant ce qui devrait être par rapport a ce qui est en réalité. C'est une manière de faire un reproche, de suggérer un changement d'attitude, une prise de décision souhaitable, etc. Notez la différence entre **it is time to go to bed**, *il est l'heure de se coucher*, qui est un simple constat, et **it is time (high time) you went to bed**, *tu devrais déjà être couché/il serait grand temps de te coucher*.

LADY BRACKNELL : Ses cheveux, c'est certain, ont changé de cou-
leur. Quelle en est la cause, bien entendu, je ne puis le dire.
(ALGERNON *traverse le salon et lui sert une tasse de thé*.) Merci.
Je vais vraiment te gâter ce soir, Algernon. Je vais te placer à
côté de Mary Farquhar. Elle est si charmante, si pleine d'attention pour son mari. C'est un ravissement de les regarder.

ALGERNON : Je crains, tante Augusta, d'être contraint de renoncer
au plaisir de dîner avec vous ce soir, tout compte fait.

LADY BRACKNELL, *prenant un air sévère* : J'espère bien que non,
Algernon. Cela désorganiserait complètement ma table. Ton
oncle serait obligé de dîner en haut. Heureusement, il en a
l'habitude.

ALGERNON : Cela m'ennuie beaucoup, et, est-il besoin de le dire,
j'en suis très déçu, mais le fait est que je viens de recevoir un
télégramme me disant que mon pauvre Bunbury est de nouveau
très mal. (*Il échange un clin d'œil avec Jack*.) On pense, semble-
t-il, que je devrais être près de lui.

LADY BRACKNELL : C'est fort étrange. La santé de ce M. Bunbury me
semble curieusement défaillante.

ALGERNON : Oui, ce pauvre Bunbury est extrêmement malade.

LADY BRACKNELL : Eh bien, je dois dire, Algernon, qu'à mon avis il
serait grand temps que ce M. Bunbury se décide à vivre ou à
mourir. Cette valse-hésitation est absurde. Et je n'approuve pas
non plus cette compassion que l'on témoigne aujourd'hui envers
les malades. Je trouve cela morbide. La maladie, quelle qu'elle
soit, n'est guère chose à encourager chez autrui. Le premier
devoir dans la vie c'est la santé. Je ne cesse de le répéter à ton
pauvre oncle, mais il ne semble pas en tenir grand compte...
à voir comment ses maladies s'améliorent.

---

3. **shilly-shallying**, *hésitation*, **to shilly-shally**, *hésiter, tourner autour
du pot, tergiverser*. (Expression formée à partir de **shall I, shall I...**)
4. △ **nor do I**. Notez l'inversion **do I**, provoquée par **nor** et les trois
formulations équivalentes : **Nor do I approve of it** = **Neither do
I approve of it** = **And I don't approve of it either.**
5. ▲ **sympathy**, *compassion* ; **sympathy strike**, *grève de solidarité*.
6. **to be encouraged** = *which must be encouraged*.
7. **improvement of his ailment** : on attendait bien sûr, **improvement of his health** !

I should be much obliged if you would[1] ask Mr Bunbury, from me, to be kind enough not to have a relapse on Saturday, for I rely on you to arrange my music for me. It is my last reception, and one wants something that will encourage conversation, particularly at the end of the season[2] when[3] everyone has practically said whatever they had to say, which, in most cases, was probably not much.

ALGERNON : I'll speak to Bunbury, Aunt Augusta, if he is still conscious, and I think I can promise you he'll be all right by[4] Saturday. Of course the music is a great difficulty. You see, if one plays good music, people don't listen, and if one plays bad music people don't talk. But I'll run over[5] the programme I've drawn out, if you will[6] kindly come into the next room for a moment.

LADY BRACKNELL : Thank you, Algernon. It is very thoughtful of you. (*Rising, and following* ALGERNON.) I'm sure the programme will be delightful, after a few expurgations. French songs I cannot possibly allow. People always seem to think that they are improper[7], and either look shocked, which is vulgar, or laugh, which is worse. But German sounds a thoroughly respectable language, and indeed I believe is so. Gwendolen, you will accompany me.

GWENDOLEN : Certainly, mamma.

(LADY BRACKNELL *and* ALGERNON *go into the music-room,* GWENDOLEN *remains behind.*)

JACK : Charming day it has been, Miss Fairfax.

GWENDOLEN : Pray don't talk to me about the weather, Mr Worthing. Whenever people talk to me about the weather, I always feel quite certain that they mean something else. And that makes me so nervous[8].

---

1. △ **if you would** : puisque l'on n'emploie pas le conditionnel dans les propositions subordonnées (**if, unless...**) **would** est ici pris dans son sens *vouloir bien*, et non comme auxiliaire du conditionnel de **ask**.

2. **the season** : la saison mondaine à Londres, des *réceptions* et « *dinner-parties* ».

3. △ **when** est employé ici comme relatif temporel, introduisant une proposition relative qui qualifie l'antécédent (ici **end of the season**). **When** relatif est assez souvent précédé d'une virgule et peut être suivi du futur. Ex. : **The question will be settled in May,**

Je te serais très obligée de demander de ma part à M. Bunbury d'avoir l'amabilité de ne pas faire une rechute samedi, car je compte sur toi pour t'occuper de ma musique. C'est ma dernière réception, et il faut quelque chose qui incite à la conversation, en particulier en cette fin de saison, à une époque où les gens ont pratiquement dit tout ce qu'ils avaient à dire, ce qui, dans la plupart des cas, n'était probablement pas grand-chose.

ALGERNON : Je parlerai à Bunbury, tante Augusta, s'il est encore conscient, et je crois pouvoir promettre qu'il ira bien d'ici samedi. Bien sûr, la musique pose un problème sérieux. Voyez-vous, si l'on joue de la bonne musique, les gens n'écoutent pas, et si l'on joue de la mauvaise musique les gens ne parlent pas. Mais je vais revoir le très copieux programme que j'ai élaboré, si vous voulez bien avoir la bonté de m'accompagner un instant à côté.

LADY BRACKNELL : Merci, Algernon ; tu es très prévenant. (*Elle se lève et suit* Algernon.) Je suis certaine que ce programme, légèrement expurgé, fera merveille. Les chansons françaises, je ne peux les tolérer : les gens donnent toujours l'impression de penser qu'elles sont inconvenantes et prennent un air choqué, ce qui est vulgaire, ou bien rient, ce qui est pire. Mais l'Allemand me semble être une langue en tout point respectable, et, de plus, l'est, je crois. Gwendolen, tu m'accompagnes.

GWENDOLEN : Certainement, maman.

(LADY BRACKNELL *et* ALGERNON *passent dans le salon de musique* ; GWENDOLEN *reste où elle est*.)

JACK : Belle journée, Miss Fairfax.

GWENDOLEN : Je vous en prie, M. Worthing, ne me parlez pas du temps. A chaque fois que l'on me parle du temps, j'ai la certitude absolue que l'on va parler d'autre chose. Et cela m'intimide.

---

when the board will meet for the last time, *Le problème sera réglé en mai, mois où le conseil se réunira pour la dernière fois.*
4. **by** + indication de date ou d'heure : *avant, d'ici.* **I'll be back by midnight,** *je serai de retour avant minuit.*
5. **△ run over,** ici *réviser, revoir* (on peut dire aussi **run through**).
6. **△ you will** n'est pas un futur, mais une forme d'injonction. Cf. l'emploi de la **'question tag'** après l'infinitif : **Shut the door, will you ?** *Fermez la porte, voulez-vous ?*
7. **improper** [ɪmˈprɔpə].
8. **nervous** : les sens de cet adjectif vont de *irritable* à *inquiet.*

43

JACK : I do mean something else.

GWENDOLEN : I thought so. In fact, I am never wrong.

JACK : And I would like to be allowed to take advantage of Lady Bracknell's temporary absence...

GWENDOLEN : I would certainly advise you to do so. Mamma has a way of coming back suddenly into a room that I have often had to speak to her about.

JACK (*nervously*) : Miss Fairfax, ever since I met you I have admired you more than any girl... I have ever met since... I met you.

GWENDOLEN : Yes, I am quite well aware of the fact. And I often wish that in public, at any rate, you had been more demonstrative. For me you have always had an irresistible fascination. Even before I met you I was far from indifferent to you. (JACK *looks at her in amazement.*) We live, as I hope you know, Mr Worthing, in an age of ideals[1]. The fact is constantly mentioned in the more expensive monthly magazines, and has reached the provincial pulpits[2], I am told ; and my ideal has always been to love someone of the name of Ernest. There is something in that name that inspires absolute confidence[3]. The moment[4] Algernon first mentioned to me that he had a friend called Ernest, I knew I was destined[5] to love you.

JACK : You really love me, Gwendolen ?

GWENDOLEN : Passionately !

JACK : Darling ! You don't know how happy you've made me.

GWENDOLEN : My own[6] Ernest !

JACK : But you don't really mean to say that you couldn't love me if my name wasn't Ernest ?

GWENDOLEN : But your name is Ernest.

---

1. **ideals** [ɑɪ'dɪəlz].
2. **pulpit**, *chaire*, d'où le prêtre s'adresse à ses fidèles. C'est dire que la chose est bien connue.
3. ▲ **confidence** peut signifier *confidence* : **this is in strict confidence**. Mais il signifie ici *confiance*. A signaler : **confidence game** ou **con game**, *abus de confiance* ; **confidence man** ou **con man**, *escroc*, et **to con**, *abuser*. Le verbe **to confide** signifie *confier* (un objet, un secret) mais **to confide in** signifie *avoir confiance en* ; d'où l'adjectif **confident** : **I am confident that**, *je suis persuadé que*. L'adjectif **confidential** a également deux sens : **a confidential letter**, *une lettre confidentielle* ; **a confidential servant**, *un serviteur de confiance* ; **a confidential clerk**, *un homme de confiance*.

44

JACK : Je veux effectivement parler d'autre chose.

GWENDOLEN : Je m'en doutais. En fait je ne me trompe jamais.

JACK : Et je voudrais que vous m'autorisiez à profiter de l'absence momentanée de Lady Bracknell...

GWENDOLEN : Je vous le conseillerais certainement. Maman a une telle façon de rentrer soudain dans une pièce que j'ai souvent été obligée de lui faire des remarques.

JACK, *mal à l'aise* : Miss Fairfax, depuis le jour où je vous ai rencontrée je vous admire plus qu'aucune autre jeune fille ... que j'aie jamais rencontrée depuis ... que je vous ai rencontrée.

GWENDOLEN : J'en suis très consciente, oui, et je regrette souvent qu'en public vous ne vous soyez pas montré plus démonstratif. Vous avez toujours exercé sur moi une fascination irrésistible. Avant même que je ne vous aie rencontré j'étais bien loin d'avoir de l'indifférence pour vous. (JACK *la regarde, éberlué*.) Nous vivons, comme j'espère vous le savez, M. Worthing, une époque idéaliste. On en fait constamment état dans les mensuels les plus coûteux et, m'a-t-on dit, cela est parvenu jusqu'aux chaires de nos pasteurs de province, et depuis toujours mon idéal est d'aimer quelqu'un qui se prénomme Constant. Il y a quelque chose dans ce nom qui inspire une confiance absolue. Dès l'instant où Algernon m'a dit qu'il avait un ami qui s'appelait Constant, j'ai su que mon destin était de vous aimer.

JACK : Vous m'aimez vraiment, Gwendolen ?

GWENDOLEN : Passionnément.

JACK : Chérie, vous ne pouvez savoir combien vous me rendez heureux.

GWENDOLEN : Constant, mon Constant !

JACK : Mais vous ne voulez pas dire vraiment que vous ne pourriez pas m'aimer si je ne m'appelais pas Constant ?

GWENDOLEN : Mais vous vous appelez Constant.

---

4. **The moment,** notez l'emploi de cette expression comme conjonction de subordination temporelle, dans le sens de **as soon as,** *dès l'instant où*.

5. **destined** ['destind].

6. **own,** s'emploie beaucoup plus fréquemment que son équivalent en français (**my own car,** *ma propre voiture*). D'où la nécessité d'adapter en français.

JACK : Yes, I know it is. But supposing it was something else ? Do you mean to say you couldn't love me then ?

GWENDOLEN (*glibly*) : Ah ! that is clearly a metaphysical speculation, and like most metaphysical speculations has very little reference at all to the actual[1] facts of real life, as we know them.

JACK : Personally, darling, to speak quite candidly, I don't much care[2] about the name of Ernest... I don't think the name suits me at all.

GWENDOLEN : It suits you perfectly. It is a divine name. It has music of its own. It produces vibrations.

JACK : Well, really, Gwendolen, I must say that I think there are lots of other much nicer names. I think Jack, for instance, a charming name.

GWENDOLEN : Jack ?... No, there is very little music in the name Jack, if any at all, indeed. It does not thrill. It produces absolutely no vibrations... I have known several Jacks[3], and they all, without exception, were more than usually plain. Besides[4], Jack is a notorious domesticity for John ! And I pity any woman who is married to a man called John. She would probably never[5] be allowed to know the entrancing pleasure of a single moment's solitude[6]. The only really safe[7] name is Ernest.

JACK : Gwendolen, I must get christened at once — I mean we must get married at once. There is no time to be lost.

GWENDOLEN : Married, Mr Worthing ?

---

1. ▲ **actual**, *réel*, *véritable*. **An actual example**, *un exemple concret* ; **in actual fact**, *en fait*. **Actually**, l'adverbe, a les sens correspondants : **he's actually a fool**, *de fait c'est un imbécile* ; **what did he actually say ?** *Qu'a t-il dit exactement ?* Le français *actuel* pourrait se traduire par **present** : **at the present time** *à l'heure actuelle*, ou par **current** : **current affairs**, *problèmes d'actualité*. Mais attention l'adverbe **presently** signifie *tout à l'heure* ou *bientôt* en anglais, alors qu'en américain il signifie *à présent*.

2. **I don't much care** = I don't care much.

3. **Jacks** : les noms de personnes (prénoms ou noms de famille) prennent la marque du pluriel en anglais. Ex. : **to keep up with the Joneses**, *faire comme les autres, ne pas être en reste avec les voisins* (**Jones** est un patronyme très fréquent).

4. **besides**, *en outre, de plus*. Ne pas confondre avec **beside**, *à côté de, auprès de* (préposition).

JACK : Bien sûr, je le sais. Mais à supposer que je m'appelle autrement ? Voulez-vous dire qu'alors vous ne pourriez m'aimer ?

GWENDOLEN, *avec beaucoup d'aisance* : Ah ! Voilà à coup sûr une spéculation métaphysique, et comme la plupart des spéculations métaphysiques, elle n'a guère de rapport avec les réalités de la vie, telles que nous les connaissons.

JACK : Personnellement, chérie, et pour parler franchement, je ne tiens pas tellement à ce nom de Constant... Je ne pense pas du tout que ce nom me convienne.

GWENDOLEN : Il vous convient à la perfection. C'est un nom divin. Il a une musique particulière. Il produit des vibrations.

JACK : Vraiment, Gwendolen, je dois dire qu'il existe bien d'autres noms beaucoup plus jolis. Je pense que Jack, par exemple, est un nom charmant.

GWENDOLEN : Jack ?... Non, il n'y a guère de musique dans Jack, si tant est qu'il y en ait. Ce n'est pas un nom qui excite, il ne produit absolument aucune vibration. J'ai connu plusieurs Jack et tous sans exception avaient un physique d'une banalité qui dépassait l'ordinaire : de plus, Jack est notoirement une forme familière de John ! Et je plains toute femme dont le mari s'appelle John. Il ne lui serait probablement jamais donné de connaître le fascinant plaisir d'un seul instant de solitude. Le seul nom qui offre toute garantie, c'est Constant.

JACK : Gwendolen, il faut que je me fasse baptiser immédiatement — je veux dire il faut que nous nous mariions immédiatement. Il n'y a pas un instant à perdre.

GWENDOLEN : Que nous nous mariions, M. Worthing ?

---

5. **would probably never be**, observez la place des adverbes et leur ordre.

6. **a single moment's solitude** : emploi du cas possessif avec un nom exprimant une notion de temps.

7. **safe** [seɪf], « *sûr* » ; **a safe**, *un coffre-fort*.

JACK (*astounded*) : Well... surely. You know that I love you, and you led me to believe, Miss Fairfax, that you were not absolutely[1] indifferent to me.

GWENDOLEN : I adore you. But you haven't proposed to me yet. Nothing has been said at all about marriage. The subject has not even been touched on[2].

JACK : Well... may I propose to you now ?

GWENDOLEN : I think it would be an admirable opportunity. And to spare you any possible disappointment, Mr Worthing, I think it only fair to tell you quite frankly beforehand that I am fully determined to accept you.

JACK : Gwendolen !

GWENDOLEN : Yes, Mr Worthing, what have you got to say to me ?

JACK : You know what I have got to say to you.

GWENDOLEN : Yes, but you don't say it.

JACK : Gwendolen, will you marry me ? (*Goes on his knees.*)

GWENDOLEN : Of course I will, darling. How long you have been about it ! I am afraid you have had very little experience[3] in how to propose[4].

JACK : My own one, I have never loved anyone in the world but you[5].

GWENDOLEN : Yes, but men often propose for practice[6]. I know my brother Gerald does. All my girl-friends tell me so. What wonderfully blue eyes you have, Ernest ! They are quite, quite blue. I hope you will always look at me just like that, especially when there are other people present.

(*Enter* LADY BRACKNELL.)

---

1. **absolutely** ['æbsəlu:tli].
2. **been touched on** : l'anglais a la possibilité, que n'a pas le français, de mettre au passif un verbe suivi d'un complément indirect. **This bed has been slept in**, *on a dormi dans ce lit*.
3. **▲ experience** : ici *pratique* ; cf. **he has considerable driving experience**, *c'est un conducteur très expérimenté*. **Experience** signifie également *l'expérience (de la vie)* : **I know from experience that...** *je sais par expérience que*, ou *l'événement vécu* : **I had a frightening experience**, *j'ai vécu quelque chose de terrible*. Ne pas confondre **experience** et **experiment** *experience scientifique*, = **test, trial**.

48

JACK, *abasourdi* : Eh bien... oui sûrement. Vous savez que je vous aime, et vous m'avez conduit à croire, Miss Fairfax, que je ne vous étais pas totalement indifférent.

GWENDOLEN : Je vous adore. Mais vous ne m'avez pas encore fait votre demande en mariage. Il n'a pas du tout été question de mariage. Le sujet n'a pas même été abordé.

JACK : Eh bien... puis-je vous faire ma demande en mariage maintenant ?

GWENDOLEN : Je crois que le moment serait admirablement choisi. Et pour vous éviter l'éventualité d'une déception, M. Worthing, il me paraît que la simple honnêteté me commande de dire très franchement à l'avance que je suis absolument résolue à accepter votre demande.

JACK : Gwendolen !

GWENDOLEN : Oui, M. Worthing ; qu'avez-vous à me dire ?

JACK : Vous savez ce que j'ai à vous dire.

GWENDOLEN : Oui, mais vous ne le dites pas.

JACK : Gwendolen, voulez-vous m'épouser ? (*Il se met à genoux.*)

GWENDOLEN : Bien sûr, chéri. Comme il vous a fallu du temps ! Je crains que vous ne manquiez singulièrement d'expérience dans l'art de présenter une demande en mariage.

JACK : Mon amour, je n'ai jamais aimé d'autre femme au monde que vous.

GWENDOLEN : Sans doute, mais souvent les hommes font une demande en mariage, pour s'entraîner. Je sais que mon frère Gérald le fait. Toutes mes amies me le disent. Comme vous avez des yeux merveilleusement bleus, Constant ! Ils sont d'un bleu, tout à fait bleu. J'espère que vous me regarderez toujours avec ces yeux, surtout lorsqu'il y aura du monde autour de nous.

(LADY BRACKNELL *entre.*)

---

4. △ **in how to propose** : observez la construction qui permet en anglais d'introduire par une préposition (ici **in**) une proposition (ici à l'infinitif) commençant par **how, when, where, why, who, what**. Ces propositions fonctionnent comme des noms et peuvent aussi être sujet ou complément d'un verbe. La proposition est à l'infinitif sans sujet, parce qu'elle a une valeur générale. Si elle ne visait qu'un sujet particulier il faudrait tourner autrement : **you have very little experience in how a gentleman should propose**.

5. **but you**, *que vous*, **but**, ici = *si ce n'est, excepté, sauf, à part*.

6. **practice** ['præktis].

LADY BRACKNELL : Mr Worthing ! Rise, sir, from this semi-recumbent[1] posture. It is most indecorous[2].

GWENDOLEN : Mamma ! (*He tries to rise ; she restrains him.*) I must beg you to retire. This is no place for you[3]. Besides, Mr Worthing has not quite finished yet.

LADY BRACKNELL : Finished what, may I ask ?

GWENDOLEN : I am engaged to Mr Worthing, mamma.

(*They rise together.*)

LADY BRACKNELL : Pardon me, you are not engaged to anyone. When you do[4] become engaged to some one, I, or your father, should his health permit him[5], will inform you of the fact. An engagement should come on a young girl as a surprise, pleasant or unpleasant, as the case may be. It is hardly a matter that she could be allowed to arrange for herself... And now I have a few questions to put to you, Mr Worthing. While I am making these inquiries, you, Gwendolen, will wait for me below in the carriage[6].

GWENDOLEN (*reproachfully*) : Mamma !

LADY BRACKNELL : In the carriage, Gwendolen ! (GWENDOLEN *goes to the door. She and* JACK *blow kisses to each other behind* LADY BRACKNELL'S *back.* LADY BRACKNELL *looks vaguely about as if she could not understand what the noise was. Finally turns round.*) Gwendolen, the carriage !

GWENDOLEN : Yes, mamma. (*Goes out, looking back at* JACK.)

LADY BRACKNELL (*sitting down*) : You can take a seat, Mr Worthing. (*Looks in her pocket for note-book and pencil.*)

JACK : Thank you, Lady Bracknell, I prefer standing.

---

1. **recumbent**, *couché, étendu.* A recumbent figure : *un gisant* (art). Il n'est pas possible de conserver l'adjectif correspondant en français.

2. Δ **most indecorous** : faire la différence entre le superlatif absolu, **most** + adjectif, et le superlatif relatif, **the most** + adjectif +, le cas échéant, un complément introduit par **of** ou **in**. **He is most intelligent**, *il est très intelligent* ; **he is the most intelligent of them all**, *c'est le plus intelligent de tous* ; **he is the best in the world**, *c'est le meilleur du monde.*

3. **This is no place for you**. L'expression est plus forte que **this is not a place for you**. Dans d'autres cas l'emploi de **not** ou de **no** correspond également à un sens différent. **He is not a doctor,**

LADY BRACKNELL : M. Worthing ! Debout, Monsieur, quittez cette position de demi-gisant. Cela manque totalement de dignité.

GWENDOLEN : Maman ! (JACK *tente de se relever ; elle l'en empêche.*) Je dois vous prier de vous retirer. Ce n'est pas ici un endroit pour vous. De plus, M. Worthing n'en a pas encore terminé.

LADY BRACKNELL : Terminé quoi, puis-je savoir ?

GWENDOLEN : Je suis fiancée à M. Worthing, maman.

(GWENDOLEN *et* JACK *se relèvent.*)

LADY BRACKNELL : Je te demande pardon, mais tu n'es fiancée à personne. Quand tu auras réellement un fiancé, c'est par moi-même, ou par ton père, si sa santé le lui permet, que tu en seras informée. Les fiançailles, pour une jeune fille, cela doit venir comme une surprise, agréable ou désagréable, selon le cas. Ce n'est guère une affaire dont on peut l'autoriser à disposer par elle-même... Et maintenant j'ai quelques questions à vous poser, M. Worthing. Tandis que je procède à ces investigations, Gwendolen, tu vas m'attendre en bas dans la voiture.

GWENDOLEN, *sur un ton de reproche* : Maman !

LADY BRACKNELL : Dans la voiture, Gwendolen ! (GWENDOLEN *se dirige vers la porte. Elle et* JACK *s'envoient des baisers, dans le dos de* LADY BRACKNELL. *Celle-ci regarde vaguement autour d'elle, comme si elle ne comprenait pas ce que signifient les bruits qu'elle entend. Enfin, elle se retourne.*) Gwendolen, la voiture !

GWENDOLEN : Oui, maman. (*Elle sort, sans quitter* JACK *des yeux.*)

LADY BRACKNELL, *en s'asseyant* : Vous pouvez vous asseoir, M. Worthing. (*Elle cherche un carnet et un crayon dans sa poche.*)

JACK : Je vous remercie, Lady Bracknell, mais je préfère rester debout.

---

il n'est pas médecin. **He is no doctor**, *ce n'est pas un médecin* (digne de ce nom).

4. **you do become** : forme emphatique, rendue par un adverbe en français.

5. **△ should his health permit him** : inversion exprimant l'hypothèse = **if his health should permit him. Should** indique que l'hypothèse envisagée est assez aléatoire, alors que **if his health permits him** est le simple énoncé d'une condition.

6. **carriage** [ˈkærɪdʒ].

LADY BRACKNELL (*pencil and note-book in hand*) : I feel
bound to tell you that you are not down[1] on my list of
eligible[2] young men, although I have the same list as
the dear Duchess of Bolton has. We work together, in
fact. However, I am quite ready to enter your name,
should your answers be[3] what a really affectionate
mother requires. Do you smoke ?

JACK : Well, yes, I must admit I smoke.

LADY BRACKNELL : I am glad to hear it. A man should always
have an occupation of some kind. There are far too many
idle men in London as it is. How old are you ?

JACK : Twenty-nine.

LADY BRACKNELL : A very good age to be married at[4]. I have
always been of opinion that a man who desires to get
married should know either everything or nothing.
Which[5] do you know ?

JACK (*after some hesitation*) : I know nothing, Lady
Bracknell.

LADY BRACKNELL : I am pleased to hear it. I do not approve
of anything that tampers with[6] natural ignorance. Ignorance is like a delicate exotic fruit ; touch it and the
bloom[7] is gone. The whole theory of modern education is radically unsound. Fortunately in England, at any
rate, education produces no effect whatsoever. If it did,
it would prove a serious danger to the upper classes,
and probably lead to acts of violence in Grosvenor
Square[8]. What is your income ?

JACK : Between seven and eight thousand a year.

LADY BRACKNELL (*makes a note in her book*) : In land, or in
investments ?

JACK : In investments, chiefly.

---

1. **down** : to write something down, *noter quelque chose, prendre en note.* Ex. : **Write my number down, or you'll forget it,** *notez
mon numéro, sinon vous l'oublierez.*

2. **an eligible young man,** *un bon parti.*

3. **should your answers be** = if your answers are (avec indication d'un doute sérieux) ; voir p. 51, note 5.

4. **a very good age to be married at** : l'anglais garde la préposition
employée dans l'expression de base, **to be married at a certain age.** On dira par exemple : **you write with a pencil → a pencil is something to write with,** ou bien : **your write on paper →
paper is something to write on.**

5. Δ **which** s'emploie, même au masculin/féminin, lorsque la question porte sur le choix d'un élément précis dans un ensemble

LADY BRACKNELL, *le crayon et le carnet à la main* : Je me vois dans l'obligation de vous dire que vous ne figurez pas sur ma liste des partis acceptables, bien que ma liste soit la même que celle de cette chère duchesse de Bolton. Nous travaillons ensemble, en fait. Cependant je suis tout à fait disposée à vous y inscrire, si vos réponses sont celles qu'exige une mère pleine d'affection pour sa fille. Est-ce que vous fumez ?

JACK : Eh bien, oui, je dois reconnaître que je fume.

LADY BRACKNELL : Je suis ravie de vous l'entendre dire. Il faut qu'un homme ait de quoi s'occuper. Il y a trop d'oisifs comme cela à Londres. Quel âge avez-vous ?

JACK : Vingt-neuf ans.

LADY BRACKNELL : Très bel âge pour se marier. J'ai toujours été d'opinion qu'un homme qui souhaite se marier doit tout savoir ou ne rien savoir. Que savez-vous, tout ou rien ?

JACK, *après une certaine hésitation* : Je ne sais rien, Lady Bracknell.

LADY BRACKNELL : Il me plaît de l'entendre. Je n'approuve pas ce qui peut altérer l'ignorance naturelle. L'ignorance est comme un fruit exotique délicat : on le touche et aussitôt il perd ses belles couleurs. Toute cette théorie moderne de l'éducation est radicalement spécieuse. Heureusement, en Angleterre du moins, l'éducation ne produit aucun effet. Si elle en produisait cela mettrait sérieusement les hautes classes en péril et conduirait probablement à des actes de violence à Grosvenor Square. Quels sont vos revenus ?

JACK : Entre sept et huit mille livres par an.

LADY BRACKNELL, *notant sur son carnet* : Terres ou placements ?

JACK : Placements, principalement.

---

déterminé connu de celui qui parle (ici **everything** et **nothing**). On dira par exemple **Who has broken the glass ?** *Qui a cassé le verre* mais **Which of you has broken the glass ?** *Lequel d'entre vous... ?*

6. **tampers with**. A propos d'un mécanisme, d'un document, etc., *toucher à, modifier* (de manière illicite ou sans autorisation) **This lock has been tampered with**, *on a cherché à crocheter cette serrure*.

7. **bloom** ne signifie pas ici fleur, mais *velouté* d'un fruit, de la peau d'une personne (signe de fraîcheur et de santé).

8. **Grosvenor Square** : quartier très aristocratique à Londres.

LADY BRACKNELL : That is satisfactory. What between[1] the duties[2] expected of one during one's lifetime, and the duties exacted from one after one's death, land has ceased to be either a profit or a pleasure. It gives one position, and prevents one from keeping it up. That's all that can be said about land.

JACK : I have a country house with some land, of course, attached to it, about fifteen hundred acres[3], I believe ; but I don't depend on that for my real income. In fact, as far as I can make out, the poachers are the only people who make anything out[4] of it.

LADY BRACKNELL : A country house ! How many bedrooms ? Well, that point can be cleared up afterwards. You have a town house, I hope ? A girl with a simple, unspoiled nature, like Gwendolen, could hardly be expected to reside in the country.

JACK : Well, I own a house in Belgrave Square, but it is let by the year to Lady Bloxham. Of course, I can get it back whenever I like, at six months' notice[5].

LADY BRACKNELL : Lady Bloxham ? I don't know her.

JACK : Oh, she goes about very little. She is a lady considerably advanced in years.

LADY BRACKNELL : Ah, nowadays that is no guarantee of respectability of character. What number in Belgrave Square ?

JACK : 149.

LADY BRACKNELL (shaking her head) : The unfashionable side. I thought there was something. However, that could easily be altered.

JACK : Do you mean the fashion, or the side ?

LADY BRACKNELL (sternly) : Both, if necessary, I presume. What are your politics[6] ?

---

1. **what between** : **what** ne sert ici qu'à renforcer le sens de l'expression : **between**... On a la même chose dans **what with** (également en tête de phrase) : **What with one thing and another I've no time left**, avec ceci et cela il ne me reste plus une minute.
2. **duty** : au sens moral, devoir : **to do one's duty**, faire son devoir. Au sens administratif droit, taxe : **customs duty**, droit de douane ; **death-duty/duties**, droits de succession ; **duty-free shop**, magasin hors-taxe.
3. **acre** = 0,40 hectare.
4. **make out** : Wilde joue ici sur deux sens, parmi d'autres, de **make out**. I). **Make out**, distinguer, voir, comprendre. Ex. : **I can't make out what he wants**, je n'arrive pas à comprendre ce qu'il

LADY BRACKNELL : Voilà qui est satisfaisant. Entre les droits que vous êtes tenu de payer de votre vivant et les droits que l'on exige de vous après votre mort, la terre a cessé d'être source de profit ou de plaisir. La terre vous donne un rang, et vous empêche de le tenir. Voilà tout ce que l'on peut dire de la terre.

JACK : Je possède une résidence à la campagne à laquelle, évidemment, se rattachent quelques terres, environ quinze cents arpents, je crois, mais ce n'est pas vraiment de là que je tire mes revenus. En fait, à ma connaissance, les braconniers sont les seuls à en tirer quelque chose.

LADY BRACKNELL : Une résidence à la campagne ! Combien de chambres ? Bon, c'est un point que l'on pourra élucider plus tard. Vous possédez une résidence à Londres, je suppose ? On ne peut guère demander à une jeune fille restée si naturellement simple, comme Gwendolen, de résider à la campagne.

JACK : Eh bien, je possède une maison à Belgrave Square, mais elle est louée à l'année à Lady Bloxham. Je peux évidemment la reprendre quand je le désire avec un préavis de six mois.

LADY BRACKNELL : Lady Bloxham ? Je ne la connais pas.

JACK : Oh, elle sort très peu. C'est une dame d'un âge extrêmement avancé.

LADY BRACKNELL : Ah, ce n'est plus, de nos jours, une garantie de respectabilité. Quel numéro à Belgrave Square ?

JACK : 149.

LADY BRACKNELL, *hochant la tête* : Ce n'est pas le côté à la mode. Je me doutais bien qu'il y avait quelque chose. Cependant on pourrait changer cela facilement.

JACK : Que voulez-vous dire ? La mode ou le côté ?

LADY BRACKNELL, *gravement* : Les deux, si nécessaire, je présume. Quelles sont vos opinions politiques ?

---

veut. 2). **Make something out of it** = **get something out of it**, *en tirer quelque chose.*
5. **notice** : ici *préavis*. Notez le cas possessif avec la notion de temps.
6. ▲ **politics** : ici pluriel dans le sens d'opinions politiques. S'emploie au singulier dans le sens de *vie politique, activité politique.* Ex. : **politics is his main business**, *il s'occupe principalement de politique.*

JACK : Well, I am afraid I really have none. I am a Liberal Unionist[1].

LADY BRACKNELL : Oh, they count as Tories. They dine with us. Or come in the evening, at any rate. Now to minor matters. Are your parents living ?

JACK : I have lost both[2] my parents.

LADY BRACKNELL : To lose one parent, Mr Worthing, may be regarded as a misfortune ; to lose both looks like carelessness. Who was your father ? He was evidently a man of some wealth. Was he born in what the Radical papers call the purple of commerce[3], or did he rise from the ranks of the aristocracy ?

JACK : I am afraid I really don't know. The fact is, Lady Bracknell, I said I had lost my parents. It would be nearer the truth to say that my parents seem to have lost me... I don't actually know who I am by birth. I was... well, I was found.

LADY BRACKNELL : Found !

JACK : The late Mr Thomas Cardew[4], an old gentleman of a very charitable and kindly disposition, found me, and gave me the name of Worthing, because he happened to have a first-class ticket for Worthing in his pocket at the time. Worthing is a place in Sussex. It is a seaside resort[5].

LADY BRACKNELL : Where did the charitable gentleman who had a first-class ticket for this seaside resort find you ?

JACK (*gravely*) : In a hand-bag.

LADY BRACKNELL : A hand-bag ?

JACK (*very seriously*) : Yes, Lady Bracknell. I was in a hand-bag — a somewhat large, black leather hand-bag[6], with handles to it — an ordinary hand-bag in fact.

---

1. **Liberal Unionist** : ceux des Libéraux qui, en 1886, quittèrent leur parti pour rejoindre les rangs du parti conservateur, pour protester contre la politique irlandaise de **Gladstone**, qui songeait à donner l'autonomie interne (**home rule**) à l'Irlande.

2. **Δ both** : notez la construction et l'emploi de **both** d'abord comme adjectif (**both my parents**) puis comme pronom (**to lose both**).

3. **the purple of commerce** : Lady Bracknell s'inspire de l'expression **born in the purple**, *né dans une famille régnante*, pour par-

JACK : Eh bien, je crois qu'en réalité je n'en ai pas. Je suis un unio-
niste libéral.

LADY BRACKNELL : Ils comptent comme tories. Ils dînent chez moi,
ou du moins ils y viennent dans la soirée. Venons-en maintenant à des questions secondaires. Avez-vous toujours vos
parents ?

JACK : J'ai perdu mon père et ma mère.

LADY BRACKNELL : Perdre son père ou sa mère, M. Worthing, cela
peut passer pour un coup de malchance ; les perdre tous les
deux, cela ressemble à de la négligence. Qui était votre père ?
Évidemment un homme disposant de quelque fortune. Est-il
venu au monde dans ce que les feuilles radicales appellent la
pourpre du commerce, ou bien est-il issu des rangs de
l'aristocratie ?

JACK : Je crois bien que je n'en sais rien. Le fait est, Lady Bracknell, que je vous ai dit avoir perdu mes parents. Il serait plus
exact de dire que ce sont, semble-t-il, mes parents qui m'ont
perdu... Je ne sais pas, en vérité, qui je suis par ma naissance.
Je suis... eh bien, je suis un enfant trouvé.

LADY BRACKNELL : Un enfant trouvé !

JACK : Le regretté M. Thomas Cardew, vieux monsieur d'un naturel charitable et aimable, m'a trouvé et m'a donné le nom de
Worthing car le hasard a voulu qu'à ce moment-là il ait dans
la poche un billet de première classe à destination de Worthing. Worthing, c'est dans le Sussex ; c'est une station
balnéaire.

LADY BRACKNELL : Et où ce monsieur charitable qui avait un billet
de première classe pour cette station balnéaire vous a-t-il
trouvé ?

JACK, *avec gravité* : Dans un sac à main.

LADY BRACKNELL : Un sac à main ?

JACK, *très sérieux* : Oui, Lady Bracknell. J'étais dans un sac à
main, un assez grand sac à main de cuir noir, avec des poignées
— un sac à main ordinaire, en fait.

---

ler de la haute et puissante bourgeoisie d'affaires, qui permet-
tait souvent à l'aristocratie de redorer son blason.

4. **The late Mr Thomas Cardew** : *Feu le regretté M. Thomas Cardew*. **His late majesty** : *Feu sa majesté*.

5. **resort** [rɪ'zɔːt].

6. **large, black leather hand-bag**, notez l'ordre des adjectifs : a
hand-bag → a black leather hand-bag → a large black leather
hand-bag → a large black leather English hand-bag.

LADY BRACKNELL : In what locality did this Mr James, or Thomas, Cardew come across this ordinary hand-bag ?

JACK : In the cloak-room at Victoria Station. It was given to him in mistake[1] for his own.

LADY BRACKNELL : The cloak-room at Victoria Station ?

JACK : Yes. The Brighton line.

LADY BRACKNELL : The line is immaterial[2]. Mr Worthing, I confess I feel somewhat bewildered by what you have just told me. To be born, or at any rate bred[3], in a hand-bag, whether it had[4] handles or not, seems to me to display a contempt for the ordinary decencies of family life that reminds one of the worst excesses of the French Revolution. And I presume you know what that unfortunate movement led to ? As for the particular locality in which the hand-bag was found, a cloak-room at a railway station might serve to conceal a social indiscretion[5] — has probably, indeed, been used for that purpose before now — but it could hardly be regarded as an assured basis[6] for a recognized position in good society.

JACK : May I ask you then what you would advise me to do ? I need hardly say I would do anything in the world to ensure Gwendolen's happiness.

LADY BRACKNELL : I would strongly advise you, Mr Worthing, to try and acquire some relations as soon as possible, and to make a definite effort[7] to produce at any rate one parent, of either sex, before the season is quite over.

JACK : Well, I don't see how I could possibly manage to do that. I can produce the hand-bag at any moment. It is in my dressing-room at home. I really think that should satisfy you, Lady Bracknell.

---

1. **in mistake**, on dirait aujourd'hui **by mistake**.

2. **The line is immaterial** = the line does not matter (immaterial ici = *sans importance*).

3. **born and bred** : Wilde exploite ici une expression toute faite. **He is a Cockney born and bred**, *C'est un vrai Cockney* (né et élevé à Londres). Le verbe **breed, bred**, a signifié *élever* en parlant d'enfants (aujourd'hui on emploie **bring up**). Ce sens ancien se retrouve dans **breeding**, *éducation* au sens de *savoir-vivre* (**he lacks breeding**, *il manque de savoir-vivre*) et dans les adjectifs **ill-bred**, *mal élevé*, et **well-bred**, *bien élevé*. **To breed** a par ailleurs le sens de *faire l'élevage* (**a cattle-breeder**, *un éleveur de bovins*) ou de *produire, engendrer* (**repetitive work breeds boredom**, *un travail monotone engendre l'ennui*). La traduction se

LADY BRACKNELL : En quel lieu ce M. James ou Thomas Cardew a-t-il trouvé ce sac à main ordinaire ?

JACK : A la consigne de la gare Victoria. On le lui a donné par erreur à la place du sien.

LADY BRACKNELL : La consigne de la gare Victoria ?

JACK : Oui, ligne de Brighton.

LADY BRACKNELL : Peu importe la ligne. M. Worthing, j'avoue que je suis quelque peu décontenancée par ce que vous venez de m'apprendre. Venir au monde, ou en tout cas connaître le jour dans un sac à main, qu'il ait des poignées ou non, me semble témoigner d'un mépris des convenances habituelles de la vie de famille qui rappelle les pires excès de la Révolution française. Et je présume que vous savez à quoi a conduit cette malheureuse agitation ? Quant au lieu précis où fut trouvé ce sac à main, une consigne de gare pourrait fort bien servir à dissimuler un faux-pas et il est probable qu'elle a déjà été utilisée à cette fin ; mais on ne peut guère la considérer comme le fondement assuré d'une position reconnue dans la bonne société.

JACK : Puis-je vous demander ce que vous me conseillez de faire ? Je n'ai guère besoin d'ajouter que je ferais tout pour assurer le bonheur de Gwendolen.

LADY BRACKNELL : Je vous conseillerais vivement, M. Worthing, de vous trouver quelque parenté le plus rapidement possible, et de faire un sérieux effort pour présenter au moins l'un de vos parents, d'un sexe ou de l'autre, avant que la saison ne se termine.

JACK : Je ne vois pas comment je pourrais m'y prendre. Je peux présenter le sac à main à tout moment. Il est dans mon cabinet de toilette, chez moi. Je suis persuadé, Lady Bracknell, que cela devrait vous satisfaire.

---

fonde sur l'exploitation des expressions synonymes de *naître*.

4. **had** : le prétérit renvoie au moment de l'action passée (naître), mais comme la phrase a une portée générale, l'emploi d'un temps du passé ne s'impose pas en français.

5. ▲ **indiscretion** : l'adjectif **indiscreet** signifie d'une part *indiscret* (= **tactless**) et d'autre part *imprudent, peu judicieux dans la conduite* (= **rash**). D'où ici **social indiscretion**, *faux-pas* ; cf. **youthful indiscretion**, *péché de jeunesse*.

6. **basis** ['beɪsɪs].

7. **effort** ['efət].

LADY BRACKNELL : Me, sir ! What has it to do with me ? You can hardly imagine that I and Lord Bracknell would dream of allowing our only daughter — a girl brought up with the utmost care — to marry into[1] a cloak-room, and form an alliance[2] with a parcel. Good morning, Mr Worthing !

(LADY BRACKNELL *sweeps*[3] *out in majestic indignation.*)

JACK : Good morning[4] ! (ALGERNON, *from the other room, strikes up the Wedding March.* JACK *looks perfectly furious, and goes to the door.*) For goodness' sake don't play that ghastly tune, Algy ! How idiotic you are !

(The music stops and ALGERNON *enters cheerily.)*

ALGERNON : Didn't it go off[5] all right, old boy ? You don't mean to say Gwendolen refused you ? I know it is a way she has. She is always refusing people. I think it is most ill-natured of her.

JACK : Oh, Gwendolen is as right as a trivet[6]. As far as she is concerned, we are engaged. Her mother is perfectly unbearable. Never met such a Gorgon[7]... I don't really know what a Gorgon is like, but I am quite sure that Lady Bracknell is one. In any case, she is a monster, without being a myth, which is rather unfair... I beg your pardon, Algy, I suppose I shouldn't talk about your own aunt in that way before you.

ALGERNON : My dear boy, I love hearing my relations abused. It is the only thing that makes me put up with them at all. Relations are simply a tedious pack of people, who haven't got the remotest knowledge of how to live, nor[8] the smallest instinct about when to die.

JACK : Oh, that is nonsense !

ALGERNON : It isn't !

---

1. **marry into** : l'expression courante est **to marry into a family**, *s'allier (par le mariage) à une famille*.
2. **alliance** [ə'laɪəns].
3. **sweep** : ici dans le sens de **to move impressively**. Ex. : **the royal car swept down the avenue**, *la voiture royale descendit majestueusement l'avenue*. Il peut aussi signifier **to move rapidly** (**the car swept round the corner**, *la voiture tourna le coin en vitesse*).
4. **Good morning** : l'expression est employée ici pour prendre sèchement congé ; et **Jack** va l'interpréter ensuite au pied de la lettre.
5. **△ go off**, en parlant d'un événement, *se passer*.

LADY BRACKNELL : Moi, Monsieur ! Qu'ai-je à voir là-dedans ? Vous ne pouvez guère imaginer que moi-même et Lord Bracknell nous songerions à autoriser notre unique fille — élevée avec le plus grand soin — à entrer par le mariage dans une consigne et à s'allier avec un colis. Le bonjour, M. Worthing !

(LADY BRACKNELL sort majestueusement indignée.)

JACK : Le bonjour ! *(ALGERNON, dans la pièce voisine, attaque la Marche nuptiale.* JACK, *l'air absolument furieux, se dirige vers la porte.)* Pour l'amour du ciel, Algy, ne joue pas cette horrible musique ! Ce que tu peux être idiot !

(La musique cesse, et ALGERNON entre, tout joyeux.)

ALGERNON : Alors, mon vieux, cela ne s'est pas bien passé ? Tu ne veux pas me dire que Gwendolen t'a refusé ? Je sais que c'est une habitude chez elle de refuser les prétendants. Je tiens cela pour un manque total de civilité.

JACK : Oh, Gwendolen est bonne comme la romaine. En ce qui la concerne, nous sommes fiancés. C'est sa mère qui est absolument insupportable. Je n'ai jamais vu pareille Gorgone... Je ne sais pas trop à quoi ressemble une Gorgone, mais je suis certain que Lady Bracknell en est une. De toute manière, c'est un monstre, sans pour autant être un mythe, ce qui n'est pas très honnête... Je te demande pardon, Algy, je crois que je ne devrais pas parler ainsi de ta tante devant toi.

ALGERNON : Mon cher, j'aime entendre dire du mal des gens de ma famille. C'est la seule chose qui me les rend supportables. La famille ce n'est pas autre chose qu'un tas de gens assommants qui n'ont pas la moindre idée de l'art de vivre, ni le moindre sens instinctif du moment où ils devraient mourir.

JACK : Sottises que cela !

ALGERNON : Pas du tout !

---

6. **as right as a trivet** : vieille expression qui signifie littéralement « droite (= stable) comme un trépied ».

7. **Gorgon** : terrible monstre mythique (d'où la remarque **she is a monster without being a myth**) femme à chevelure faite de serpents, qui changeait en pierre quiconque la regardait.

8. **nor**. On attendrait plus normalement **or**, ici, car le verbe est déjà à la forme négative (**haven't got**).

JACK : Well, I won't argue about the matter. You always want to argue about things.

ALGERNON : That is exactly what things were originally made for.

JACK : Upon my word, if I thought that, I'd shoot myself[1]... *(A pause.)* You don't think there is any chance of Gwendolen becoming[2] like her mother in about a hundred and fifty years, do you, Algy ?

ALGERNON : All women become like their mothers. That is their tragedy. No man does[3]. That's his[4].

JACK : Is that clever ?

ALGERNON : It is perfectly phrased ! And quite as true as any observation in civilized life should be.

JACK : I am sick to death of cleverness. Everybody is clever nowadays. You can't go anywhere without meeting clever people. The thing has become an absolute public nuisance[5]. I wish to goodness[6] we had a few fools left.

ALGERNON : We have.

JACK : I should extremely like to meet them. What do they talk about ?

ALGERNON : The fools ? Oh ! about the clever people, of course.

JACK : What fools.

ALGERNON : By the way, did you tell Gwendolen the truth about your being Ernest in town and Jack in the country ?

JACK *(in a very patronizing[7] manner)* : My dear fellow, the truth isn't quite the sort of thing one tells to a nice, sweet, refined girl. What extraordinary ideas you have about the way to behave to a woman !

---

1. **I'd shoot myself**, littéralement « *je me tuerais (en tirant)* ». Il est donc nécessaire d'adapter.

2. **Gwendolen becoming** : la construction déjà rencontrée (**your being Ernest**) adjectif possessif + **–ing** est plus courante que pronom personnel complément + **–ing** (**do you mind me smoking** ne s'entend pratiquement pas au lieu de **do you mind my smoking**). Ces constructions dérivent de celles obtenues avec le nom. L'adjectif possessif correspond au cas possessif (**Gwendolen's becoming**), le pronom a l'emploi pur et simple du nom, ce qui est beaucoup plus fréquent que le cas possessif.

3. **does** = **becomes like his mother**.

4. **his** = **his tragedy**.

JACK : Bon, je ne vais pas me mettre à discuter de ça. Il faut toujours que tu te mettes à discuter d'une chose ou d'une autre.

ALGERNON : C'est précisément pour cela que les choses ont été faites, à l'origine.

JACK : Ma parole, si j'en étais convaincu je me ferais sauter la cervelle... *(Une pause.)* Algy, tu ne penses pas qu'il y ait un risque de voir Gwendolen devenir comme sa mère, d'ici à cent cinquante ans à peu près ?

ALGERNON : Toutes les femmes finissent par ressembler à leur mère. Voilà leur drame. Un homme, jamais. Voilà le sien.

JACK : C'est intelligent, cela ?

ALGERNON : C'est parfaitement tourné ! Et aussi vrai qu'il convient à n'importe quelle observation de notre vie civilisée.

JACK : L'intelligence m'écœure profondément. Tout le monde est intelligent aujourd'hui. On ne peut aller nulle part sans rencontrer des gens intelligents. C'est devenu un véritable fléau public. Plût au ciel que nous ayons quelques imbéciles de reste.

ALGERNON : Il nous en reste.

JACK : Je serais absolument ravi de les rencontrer. De quoi parlent-ils ?

ALGERNON : Les imbéciles ? Oh, ils parlent des gens intelligents, bien sûr.

JACK : Quels imbéciles.

ALGERNON : A propos, as-tu avoué à Gwendolen que tu es Constant à la ville et Jack à la campagne ?

JACK *(avec une grande condescendance)* : Mon cher ami, la vérité n'est pas toujours le genre de chose que l'on dit à une jeune fille charmante, délicieuse et raffinée. Tu as une extraordinaire conception de la manière de se conduire envers une femme !

---

5. **nuisance** ['nju:sns], *fléau, plaie, ennui, désagrément.*
6. **I wish to goodness**, *si seulement...* ; **my Goodness**, *mon Dieu* ; **Thank Goodness**, *Dieu merci !*
7. **patronizing**, *condescendant*, vient de **to patronize**, *accorder son patronage.* ▲ **Patron** a souvent le sens de *client régulier.*

ALGERNON : The only way to behave to a woman is to make love[1] to her, if she is pretty, and to someone else, if she is plain[2].

JACK : Oh, that is nonsense.

ALGERNON : What about your brother ? What about the profligate[3] Ernest ?

JACK : Oh, before the end of the week I shall have got rid of him. I'll say he died in Paris of apoplexy. Lots of people die of apoplexy, quite suddenly, don't they ?

ALGERNON : Yes, but it's hereditary, my dear fellow. It's a sort of thing that runs in families. You had much better say a severe[4] chill.

JACK : You are sure a severe chill isn't hereditary, or anything of that kind ?

ALGERNON : Of course it isn't !

JACK : Very well, then. My poor brother Ernest is carried off[5] suddenly, in Paris, by a severe chill. That gets rid of him.

ALGERNON : But I thought you said that... Miss Cardew was a little too much interested in your poor brother Ernest ? Won't she feel his loss a good deal ?

JACK : Oh, that is all right. Cecily is not a silly romantic girl, I am glad to say. She has got a capital[6] appetite, goes long walks, and pays no attention at all to her lessons.

ALGERNON : I would rather like to see Cecily.

JACK : I will take very good care you never do[7]. She is excessively pretty, and she is only just eighteen.

ALGERNON : Have you told Gwendolen yet that you have an excessively pretty ward[8] who is only just eighteen ?

---

1. **make love** : nous sommes en 1893, donc **make love** pris au sens de *faire la cour*, encore que... mais on en parlait moins.
2. **plain** ≠ **good-looking**. Le français est moins brutal que l'anglais et n'a pas recours à un adjectif désobligeant.
3. **profligate** : à prendre aux deux sens de **dissolute** et de **recklessly extravagant** qui tous deux s'appliquent à *Constant*. D'où la traduction développée en deux termes.
4. **severe** [sɪ'vɪə].
5. **carry off** permet exactement le même jeu de mots qu'*emporter*. Cf. la célèbre plaisanterie phonétique : **It is not the cough that will carry you off, but the coffin they will carry you off in.** En gros : *ce n'est pas la toux qui t'emportera, mais le cercueil dans lequel ils t'emporteront.* → **cough** [kʌf] et **coffin** ['kʌfin].
6. ▲ **capital** : *excellent*.

ALGERNON : La seule manière de se conduire envers une femme c'est de lui faire la cour si elle est jolie, et de faire la cour à une autre si elle ne l'est pas.

JACK : C'est absurde.

ALGERNON : Et ton frère ? Que devient ce panier percé libertin de Constant ?

JACK : D'ici à la fin de la semaine je me serai défait de lui. Je dirai qu'il est mort d'apoplexie à Paris. Il y a beaucoup de gens qui meurent tout à fait subitement d'apoplexie, n'est-ce pas ?

ALGERNON : Oui, mais c'est héréditaire, mon cher ami. C'est une espèce de chose qui court dans les familles. Tu ferais mieux de parler de gros refroidissement.

JACK : Tu es sûr qu'un gros refroidissement n'est pas héréditaire, ou ce genre de chose ?

ALGERNON : Naturellement.

JACK : Très bien, donc. Mon pauvre frère Constant est brutalement emporté à Paris par un gros refroidissement. Voilà qui nous débarrasse de lui.

ALGERNON : Mais je croyais que tu disais que... Miss Cardew s'intéressait un peu trop à ton pauvre frère Constant ? Ne va-t-elle pas être très affectée par sa perte ?

JACK : Non, il n'y a pas de danger. Cecily n'est pas une de ces sottes filles romantiques, je suis heureux de le dire. Elle a un excellent appétit, fait de longues promenades, et ne fait pas du tout attention à ses leçons.

ALGERNON : Il ne me déplairait pas de voir Cecily.

JACK : Je veillerai attentivement à ce qu'il n'en soit rien. Elle est excessivement jolie, et elle n'a que dix-huit ans.

ALGERNON : As-tu dit à Gwendolen que tu es le tuteur d'une pupille excessivement jolie et qui n'a que dix-huit ans ?

---

7. **you never do** : you never see Cecily. Remarque très importante pour la suite des événements.

8. **ward** [wɔːd] ici *pupille* ; dans un autre contexte signifie *salle* (**hospital ward**, *salle d'hôpital*).

JACK : Oh ! one doesn't blurt[1] these things out to people. Cecily and Gwendolen are perfectly certain to[2] be extremely great friends. I'll bet you anything you like that half an hour after they have met, they will be calling each other sister.

ALGERNON : Women only do that[3] when they have called each other a lot of other things first. Now, my dear boy, if we want to get a good table at Willis's, we really must go and dress. Do you know it is nearly seven ?

JACK *(irritably)* : Oh ! it always is nearly seven.

ALGERNON : I'm hungry.

JACK : I never knew you when you weren't[4]...

ALGERNON : What shall we do after dinner ? Go to a theatre ?

JACK : Oh no ! I loathe[5] listening.

ALGERNON : Well, let us go to the Club ?

JACK : Oh, no ! I hate talking.

ALGERNON : Well, we might trot round to the Empire[6] at ten ?

JACK : Oh, no ! I can't bear[7] looking at things. It is so silly.

ALGERNON : Well, what shall we do ?

JACK : Nothing !

ALGERNON : It is awfully hard work doing nothing. However, I don't mind hard work where there is no definite object of any kind.

(Enter LANE.)

LANE : Miss Fairfax.

(Enter GWENDOLEN. LANE goes out.)

ALGERNON : Gwendolen, upon my word !

GWENDOLEN : Algy, kindly turn your back. I have something very particular[8] to say to Mr Worthing.

ALGERNON : Really, Gwendolen, I don't think I can allow this at all.

---

1. **blurt out** : *dire sans réfléchir.*
2. **Δ are certain to** : **certain** renvoie ici à la certitude de celui qui parle : *il est certain que*, et non à celle des personnes en question (elles sont certaines que).
3. **do that** = **call themselves sisters.**
4. **I never knew when you weren't** : littéralement, « *je n'ai jamais vraiment su quand tu n'avais pas faim* ».

JACK : Oh, ce ne sont pas des choses que l'on lance comme ça à la tête des gens. Cecily et Gwendolen deviendront de très grandes amies, j'en suis certain. Je te parie tout ce que tu voudras qu'une demi-heure après avoir fait connaissance elles s'appelleront sœurs l'une et l'autre.

ALGERNON : Les femmes ne s'appellent sœurs qu'après s'être donné bien d'autres noms. Et maintenant, mon cher, si nous voulons avoir une bonne table chez Willis il faut aller nous habiller. Sais-tu qu'il est bientôt sept heures ?

JACK, *d'un ton irrité* : Oh, il est toujours bientôt sept heures.

ALGERNON : J'ai faim.

JACK : Je ne t'ai jamais vu autrement...

ALGERNON : Que ferons-nous après le dîner ? Théâtre ?

JACK : Non, je déteste écouter.

ALGERNON : Bon, allons au club.

JACK : Oh, non, je déteste parler.

ALGERNON : Eh bien, nous pourrions peut-être aller faire un tour à l'Empire à dix heures ?

JACK : Oh, non ! Je ne peux pas supporter de rester là à regarder. C'est tellement idiot.

ALGERNON : Alors qu'allons-nous faire ?

JACK : Rien.

ALGERNON : Cela exige un rude effort de ne rien faire. Je ne suis pas ennemi de l'effort, cependant, quand il n'y a pas d'objectif précis à atteindre.

(LANE entre.)

LANE : Miss Fairfax.

(GWENDOLEN entre. LANE sort.)

ALGERNON : Gwendolen, ma parole !

GWENDOLEN : Algy, sois gentil de te retourner. J'ai quelque chose de très particulier à dire à M. Worthing.

ALGERNON : Vraiment, Gwendolen, voilà une chose à laquelle je ne puis absolument pas consentir.

---

5. **loathe** [lauð], *détester*. Ne pas confondre avec **to be (very) loath** [ləuð] **to do something** *ne pas être disposé à faire quelque chose* ; cf l'expression **nothing loath**, *volontiers*.
6. **Empire** : célèbre théâtre en vogue.
7. **I can't bear**, *je ne peux pas supporter (sentir, souffrir)* + forme en –**ing** ou complément.
8. **particular** [pəˈtɪkjʊlə].

GWENDOLEN : Algy, you always adopt a strictly immoral attitude towards life. You are not quite old enough to do
that. (ALGERNON *retires to the fireplace.*)

JACK : My own darling !

GWENDOLEN : Ernest, we may never be married. From the
expression on mamma's face I fear we ever shall[1]. Few
parents nowadays pay any regard to what their children
say to them. The old-fashioned respect for the young
is fast dying out. Whatever[2] influence I never had over
mamma, I lost at the age of three. But although she may
prevent us from becoming[3] man and wife, and I may
marry someone else, and marry often, nothing that she
can possibly do can alter[4] my eternal devotion[5] to you.

JACK : Dear Gwendolen !

GWENDOLEN : The story of your romantic origin, as related[6]
to me by mamma, with unpleasing comments, has naturally stirred[7] the deeper fibres of my nature. Your
Christian name has an irresistible fascination. The sim-
plicity of your character[8] makes you exquisitely[9]
incomprehensible to me. Your town address at the
Albany[10] I have. What is your address in the country ?

JACK : The Manor House, Woolton, Hertfordshire.

(ALGERNON, *who has been carefully listening, smiles to himself, and writes the address on his shirt-cuff. Then picks
up the Railway Guide.*)

GWENDOLEN : There is a good postal service, I suppose ? It
may be necessary to do something desperate. That of
course will require serious consideration. I will commu-
nicate with you daily.

JACK : My own one !

GWENDOLEN : How long do you remain in town ?

JACK : Till Monday.

---

1. △ **never shall** : l'emploi de l'auxiliaire seul (pour **shall never
be married**) oblige à placer **never** avant ; autrement **never**,
comme les adverbes de temps non précis, se place entre l'auxiliaire et le verbe principal, ou après le premier auxiliaire : **we
may never be married.**

2. **Whatever... three** : notez le déplacement du complément, qui
n'est pas rare dans ces dialogues = **I lost whatever influence I
ever had over mamma at the age of three.**

3. **to prevent from becoming : to prevent somebody from + ing**,
empêcher quelqu'un de faire quelque chose. **To prevent some-**

68

GWENDOLEN : Algy, tu adoptes toujours une attitude franchement immorale envers la vie. Tu n'es pas encore assez vieux pour ça. (ALGERNON *se retire près de la cheminée.*)

JACK : Ma chérie !

GWENDOLEN : Constant, il se peut que nous ne nous mariions jamais. A en juger par la tête que faisait maman, je crains que cela ne soit à tout jamais exclu. Rares sont les parents qui, de nos jours, prennent en considération ce que leur disent leurs enfants. L'ancienne coutume du respect envers les jeunes se perd rapidement. Quelle que soit l'influence que j'ai pu avoir sur Maman, je l'ai perdue à l'âge de trois ans. Mais bien qu'elle puisse nous empêcher de devenir mari et femme, et que je puisse épouser quelqu'un d'autre, rien de ce qu'elle peut faire ne pourra altérer l'éternelle adoration que je vous porte.

JACK : Chère Gwendolen !

GWENDOLEN : L'histoire romanesque de vos origines, telle que me l'a rapportée maman, assortie de commentaires déplaisants, a naturellement fait vibrer les fibres les plus profondes de mon être. Votre prénom me fascine irrésistiblement. Par la simplicité de votre personnalité vous êtes pour moi délicieusement incompréhensible. J'ai votre adresse à l'Albany. Quelle est votre adresse à la campagne ?

JACK : Le Manoir, Woolton, Hertfordshire.

(ALGERNON, *qui a écouté attentivement, sourit pour lui-même, et note l'adresse sur sa manchette ; puis il prend l'indicateur des Chemins de Fer.*)

GWENDOLEN : La poste pour Woolton fonctionne bien, j'espère ? Il se peut que nous soyons obligés d'en venir à un acte désespéré. Cela demandera bien sûr mûre réflexion. Je resterai chaque jour en communication avec vous.

JACK : Ma Gwendolen !

GWENDOLEN : Combien de temps restez-vous en ville ?

JACK : Jusqu'à lundi.

---

thing, *empêcher*, *prévenir*. **To prevent an accident.**
4. **alter** ['ɒltə].
5. △ **devotion** : ici *profond attachement*.
6. △ **as related**, notez cette construction particulière **as** + participe, et son équivalent en français.
7. **stirred** [stə:d].
8. **character** = *tempérament* ; *disposition* ; *personne*.
9. **exquisitely** [ɪks'kwɪsɪtlɪ].
10. **Albany** ['ɔ:lbənɪ] cf. p. 27 note 7.

GWENDOLEN : Good ! Algy, you may turn round now.

ALGERNON : Thanks, I've turned round already.

GWENDOLEN : You may also ring the bell.

JACK : You will let me see you to[1] your carriage, my own darling ?

GWENDOLEN : Certainly.

JACK *(to* LANE, *who now enters.)* : I will see Miss Fairfax out[2].

LANE : Yes, sir. (JACK *and* GWENDOLEN *go off.)*

*(*LANE *presents several letters on a salver, to* ALGERNON. *It is to be surmised[3] that they are bills[4], as* ALGERNON, *after looking at the envelopes, tears them up.)*

ALGERNON : A glass of sherry[5], Lane.

LANE : Yes, sir.

ALGERNON : Tomorrow, Lane, I'm going Bunburying.

LANE : Yes, sir.

ALGERNON : I shall probably[6] not be back till Monday. You can put up my dress clothes, my smoking jacket, and all the Bunbury suits...

LANE : Yes, sir. *(Handing sherry.)*

ALGERNON : I hope tomorrow will be a fine day, Lane.

LANE : It never is, sir.

ALGERNON : Lane, you're a perfect pessimist[7].

LANE : I do my best to give satisfaction, sir.

(Enter JACK. LANE *goes off.)*

JACK : There's a sensible[8], intellectual girl ! The only girl I ever cared for in my life. (ALGERNON *is laughing[9] immoderately.)* What on earth are you so amused at ?

---

1. **see you to**, *accompagner à.* Ex. : **I'll see you to the station**, *je vais vous raccompagner à la gare.*
2. **see somebody out** : *reconduire* (un visiteur). On peut également employer **see somebody off.**
3. **surmised** : surmise = *conjecture, hypothèse.* **It is nothing but surmise**, *c'est pure conjecture.*
4. **bills** : *factures.* Un aristocrate ne saurait s'intéresser à ces détails.
5. **sherry** : vin produit à Jerez (Espagne) et, comme le *porto* (**port**), très prisé des Anglais. Le **sherry** se buvait en principe avant le repas, et le *porto* après le repas.

GWENDOLEN : Bien ! Algy, tu peux te retourner maintenant.

ALGERNON : Merci, c'est déjà fait.

GWENDOLEN : Tu peux sonner également.

JACK : Vous me laisserez vous raccompagner à votre voiture, ma chérie ?

GWENDOLEN : Certainement.

JACK, à LANE, *qui rentre* : Je reconduis Miss Fairfax.

LANE : Bien, Monsieur. (JACK *et* GWENDOLEN *sortent.*)

(LANE *présente à* ALGERNON *plusieurs lettres sur un plateau. On peut penser qu'il s'agit de factures, car* ALGERNON, *après avoir jeté un coup d'œil sur les enveloppes, les déchire.*)

ALGERNON : Servez-moi un Xérès, Lane.

LANE : Bien, Monsieur.

ALGERNON : Demain, Lane, je m'en vais Bunburyser.

LANE : Bien, Monsieur.

ALGERNON : Je ne reviendrai probablement pas avant lundi. Vous pouvez me préparer mes habits de soirée, ma veste d'intérieur, et tous les costumes de Bunbury...

LANE : Bien, Monsieur. *(Il lui apporte le Xérès.)*

ALGERNON : J'espère qu'il fera beau demain, Lane.

LANE : Il ne fait jamais beau demain, Monsieur.

ALGERNON : Lane, vous êtes un parfait pessimiste.

LANE : Je fais de mon mieux pour donner satisfaction, Monsieur.

(JACK entre. LANE sort.)

JACK : Voilà une fille raisonnable, intelligente ! La seule fille pour laquelle j'aie jamais eu de l'affection. *(ALGERNON est pris d'un rire immodéré.)* Qu'est-ce qui peut bien t'amuser à ce point ?

---

6. **probably** ; cet adverbe, comme **certainly, definitely**, se place entre le sujet et le verbe à une forme simple ou après le premier auxiliaire comme ici. Attention toutefois aux phrases comprenant une négation. On peut dire : **I shall probably not be back** ou **I probably shall not...** Si la négation est avec **do not**, ces adverbes se placent obligatoirement avant **do** : **he probably does not come back till Monday**, *il ne reviendra probablement pas avant lundi*.

7. **a pessimist**, il s'agit ici d'un nom ; l'adjectif correspondant est **pessimistic**.

8. **▲ sensible** : *raisonnable*.

9. **laughing** [lɑ:fɪŋ].

ALGERNON : Oh, I'm a little anxious about poor Bunbury, that is all.

JACK : If you don't take care, your friend Bunbury will get you into a serious scrape[1] some day.

ALGERNON : I love scrapes. They are the only things that are never serious.

JACK : Oh, that's nonsense, Algy. You never talk anything but nonsense[2].

ALGERNON : Nobody ever does.

(JACK *looks indignantly at him, and leaves the room.* ALGERNON *lights a cigarette, reads his shirt-cuff, and smiles.*)

ACT DROP[3]

---

1. **scrape** [skreɪp].
2. △ **talk anything but nonsense** : le verbe **talk** n'est généralement pas transitif, mais il est parfois associé à certains compléments dans des expressions telles que **talk politics**, *parler politique*, **talk nonsense**, *dire des bêtises*, **talk shop**, *parler métier*.
3. **drop** ou **drop curtain** : *rideau d'entracte*. On verra que **curtain** désigne le rideau en fin de pièce. **The curtain drops**, *le rideau tombe*.

ALGERNON : Oh, je me fais un peu de souci pour ce pauvre Bunbury, c'est tout.

JACK : Si tu n'y prends pas garde, ton ami Bunbury t'attirera une vilaine histoire, un de ces jours.

ALGERNON : J'adore les vilaines histoires. Ce sont les seules choses qui ne sont jamais sérieuses.

JACK : Tu dis des bêtises, Algy. Tu ne dis jamais que des bêtises.

ALGERNON : Comme tout le monde.

(JACK *lui lance un regard indigné et quitte la pièce.* ALGERNON *allume une cigarette, lit ce qui est écrit sur sa manchette et sourit.*)

RIDEAU

SECOND ACT

Garden at the Manor House. A flight of grey stone steps leads up to the house. The garden, an old-fashioned one, full of roses. Time of year, July. Basket chairs, and a table covered with books, are set under a large yew-tree.

(MISS PRISM *discovered seated at the table.* CECILY *is at the back, watering flowers.*)

MISS PRISM *(calling)* : Cecily, Cecily ! Surely such a utilitarian occupation as the watering of flowers is rather Moulton's duty than yours ? Especially at a moment when intellectual pleasures await you. Your German grammar is on the table. Pray open it at page fifteen. We will repeat yesterday's lesson.

CECILY *(coming over very slowly)* : But I don't like German. It isn't at all a becoming[1] language. I know perfectly well that I look quite plain after my German lesson.

MISS PRISM : Child, you know how anxious[2] your guardian is that you should[3] improve yourself in every way. He laid particular stress[4] on your German, as he was leaving for town[5] yesterday. Indeed, he always lays stress on your German when he is leaving for town.

---

1. △ **becoming**, *convenable, bienséant* ; en parlant de vêtements : *seyant*, et **to become**, *aller*. Ex. : **Mourning Becomes Electra**, *Le deuil sied à Electre* (pièce de O'Neill - 1888-1953).
2. ▲ **anxious** : ici dans le sens de *très désireux* (ne pas confondre avec **anxious about**, *inquiet de, préoccupé par*).
3. △ **should** : construction normale du subjonctif avec **should** à toutes les personnes après **be +** adjectif exprimant une opinion, un jugement, une attitude du sujet devant la situation. **It is necessary that he should come at once**, *il est nécessaire qu'il vienne immédiatement*. L'expression serait ici : **to be anxious that** (à rapprocher de la construction de verbes comme **insist, suggest, recommand + should**).
4. **He laid particular stress on** : notez l'absence d'article dans cette expression, *mettre l'accent sur, insister sur*.
5. **for town**, comme dans **to go to town** : notez l'absence d'article dans cette locution adverbiale.

ACTE II

SCÈNE

Le jardin du Manoir. Un escalier de pierre grise conduit à la maison. Le jardin, à l'ancienne, est plein de roses. Nous sommes en juillet. Des fauteuils d'osier et une table couverte de livres, sont disposés sous un vaste if.

(On aperçoit MISS PRISM, *assise à la table.* CECILY *est au fond de la scène ; elle arrose des fleurs.)*

MISS PRISM, *l'appelant* : Cecily ! Cecily ! Une occupation aussi utilitaire que l'arrosage des fleurs incombe à Moulton plutôt qu'à vous, surtout lorsque vous attendent les plaisirs de l'intellect. Votre grammaire allemande est là sur la table. Ouvrez-la, je vous prie, à la page quinze ; nous allons revoir la leçon d'hier.

CECILY, *qui s'approche très lentement* : Mais je n'aime pas l'allemand. Ce n'est pas une langue qui me convient. Je sais parfaitement que ma leçon d'allemand m'enlaidit.

MISS PRISM : Vous savez, mon enfant, quel souci a votre tuteur de vous voir progresser en toutes choses. Il a particulièrement insisté sur l'allemand, lorsqu'il est parti hier pour la ville. De fait, il insiste toujours pour que vous étudiez votre allemand lorsqu'il part pour la ville.

CECILY : Dear Uncle Jack is so very serious ! Sometimes he is so serious that I think he cannot be quite well.

MISS PRISM *(drawing herself up)* : Your guardian enjoys the best of health, and his gravity of demeanour[1] is especially to be commended[2] in one so comparatively young as he is. I know no one who has a higher sense of duty and responsibility.

CECILY : I suppose that is why he often looks a little bored when we three are together.

MISS PRISM : Cecily ! I am surprised at you. Mr Worthing has many troubles in his life. Idle[3] merriment and triviality would be out of place in his conversation. You must remember his constant anxiety[4] about that unfortunate young man, his brother.

CECILY : I wish Uncle Jack would allow that unfortunate young man, his brother, to come down[5] here sometimes. We might have a good influence over him, Miss Prism. I am sure you certainly would. You know German, and geology, and things of that kind influence a man very much. (CECILY *begins to write in her diary.*)

MISS PRISM *(shaking her head)* : I do not think that even I could produce any effect on a character that according to his own brother's admission[6] is irretrievably weak and vacillating. Indeed I am not sure that I would desire to reclaim[7] him. I am not in favour of this modern mania for turning bad people into good people at a moment's notice. As a man sows so let him reap[8]. You must put away your diary[9], Cecily. I really don't see why you should[10] keep a diary at all.

---

1. **demeanour** [dɪ'mi:nə] *conduite, maintien, tenue.*
2. △ **is to be commended** : to be to exprime une notion de nécessité découlant d'une convention, d'un ordre préétabli : **We are to meet at six**, *nous devons nous rencontrer à six heures* (parce que nous en avons décidé ainsi).
3. △ **idle** [aɪdl], ici *vain, futile.* L'autre sens étant *inactif, oisif.*
4. **anxiety** ['æŋ'zaɪətɪ].
5. **come down** : one goes up town and comes down to the country.
6. ▲ **admission** : de to admit, *reconnaître.*
7. ▲ **reclaim** : exprime l'idée de *récupérer, amender, corriger* ; de même **reclamation** et **reclaimable. Polders are land reclaimed from the sea**, *les polders sont des terres récupérées sur la mer.* **Reclaimable by-products**, *des sous-produits récupérables.* **He is past reclaim**, *il est incorrigible.*

CECILY : Mon cher oncle est tellement sérieux ! Il est parfois si sérieux que je suis persuadée qu'il ne va pas très bien.

MISS PRISM, *se redressant sur son siège* : Votre tuteur est en excellente santé, et il faut louer la gravité de son attitude, en particulier chez un homme comparativement aussi jeune que lui. Je ne connais personne qui ait un sens plus élevé du devoir et des responsabilités.

CECILY : Je suppose que c'est la raison pour laquelle il a souvent l'air de s'ennuyer quand nous sommes tous les trois ensemble.

MISS PRISM : Cecily ! Vous me surprenez. M. Worthing a d'énormes soucis. La plaisanterie oiseuse et la frivolité seraient déplacées dans sa conversation. Vous ne devez pas oublier l'inquiétude constante que lui cause ce malheureux jeune homme, son frère.

CECILY : J'aimerais bien qu'oncle Jack veuille permettre à ce malheureux jeune homme, son frère, de venir ici quelques fois. Nous pourrions avoir une influence bénéfique sur lui, Miss Prism. Vous connaissez l'allemand, la géologie, et des choses de ce genre ont une très grande influence sur un homme. (CECILY *se met à écrire quelque chose dans son journal.*)

MISS PRISM, *secouant la tête* : Je ne pense pas que je sois moi-même capable d'agir sur une personnalité qui, de l'aveu de son propre frère, est si irrémédiablement faible et chancelante. A vrai dire, il n'est pas sûr que j'éprouverais le désir de le tirer de son état. Je n'approuve guère la manie actuelle de vouloir sur-le-champ transformer le vice en vertu. On récolte ce qu'on a semé. Il faut ranger votre journal, Cecily. Je n'arrive pas à comprendre pourquoi vous tenez un journal.

---

8. **As man sows...** Cf. Paul, épître aux Galates, 6,7 : « **Be not deceived. God is not mocked, for whatsoever a man soweth, that shall he also reap.** »

9. **diary** ['daɪərɪ].

10. **A should**, employé après **why**, et en particulier **I don't see why**, met en doute le bien-fondé d'une attitude ou d'une hypothèse. Ex. : **Why should I know ?** *Pourquoi est-ce que je le saurais ?*

CECILY : I keep a diary in order to enter the wonderful secrets of my life. If I didn't write them down, I should probably forget all about them.

MISS PRISM : Memory, my dear Cecily, is the diary that we all carry about with us.

CECILY : Yes, but it usually chronicles the things that have never happened, and couldn't possibly have happened. I believe that memory is responsible for nearly all the three-volume[1] novels that Mudie[2] sends us.

MISS PRISM : Do not speak slightingly[3] of the three-volume novel, Cecily. I wrote one myself in earlier days.

CECILY : Did you really, Miss Prism ? How wonderfully clever you are ! I hope it did not end happily ? I don't like novels that end happily. They depress me so much.

MISS PRISM : The good ended happily, and the bad[4] unhappily. That is what Fiction means.

CECILY : I suppose so. But it seems very unfair. And was your novel ever published ?

MISS PRISM : Alas ! no. The manuscript unfortunately was abandoned. (CECILY *starts.*). I used the word in the sense of lost or mislaid. To your work, child, these speculations are profitless.

CECILY *(smiling)* : But I see dear Dr Chasuble coming up through the garden.

MISS PRISM *(rising and advancing)* : Dr Chasuble ! This is indeed a pleasure[5].

(*Enter* CANON CHASUBLE.)

---

1. Δ **three-volume** : notez ce type d'adjectif composé, qui, naturellement, ne prend pas la marque du pluriel. Autre exemple : **a seven -man team**, *une équipe de sept hommes*. Ne pas confondre adjectif composé de ce type et complément de mesure : **This man is six feet tall** (six feet est complément de tall), mais **A six-foot-tall man**, *Un homme d'un mètre quatre-vingt-deux*.

2. **Mudie** : importante bibliothèque de prêt qui fonctionnait principalement par abonnements. Ces bibliothèques achetaient en grand nombre ces ouvrages en trois volumes que l'on appelait familièrement **three-deckers** (comme certains bateaux à trois ponts) permettant ainsi à de grands auteurs — ce fut le cas par exemple de **George Eliot** — d'atteindre un vaste public.

3. **slightingly**, de **to slight**, *manquer d'égard envers* ; ne pas confondre avec **slight** qui signifie *léger* : **a slight refreshment**, *une légère collation*, **a slight error**, *une légère erreur*.

CECILY : Je tiens un journal pour y consigner les merveilleux secrets de ma vie. Si je ne les écrivais pas, je les oublierais sans doute complètement.

MISS PRISM : La mémoire, ma chère Cecily, est le journal que nous portons tous avec nous.

CECILY : Oui, mais d'ordinaire c'est une chronique d'événements qui ne se sont jamais produits, et n'auraient absolument pas pu se produire. Je crois que c'est à la mémoire que l'on doit tous ces romans en trois volumes que Mundie nous envoie.

MISS PRISM : Ne parlez pas avec mépris de ces romans en trois volumes, Cecily. J'en ai moi-même écrit un, jadis.

CECILY : Est-ce vrai, Miss Prism ? Quelle merveilleuse intelligence que la vôtre ! J'espère qu'il ne finissait pas bien ? Je n'aime pas les romans qui finissent bien, cela me déprime terriblement.

MISS PRISM : Pour les bons, cela finissait bien, et mal pour les méchants. Voilà ce que signifie « œuvre d'imagination ».

CECILY : Oui, je pense. Mais cela me semble très injuste. Et est-ce que votre roman a été publié ?

MISS PRISM : Hélas, non ! Le manuscrit, malheureusement, a été abandonné. (CECILY *sursaute*.) J'emploie ce mot dans le sens de perdu ou égaré. Au travail, mon enfant ; ce ne sont là que vaines spéculations.

CECILY, *en souriant* : Mais je vois ce cher Recteur Chasuble qui nous arrive par le jardin.

MISS PRISM *se lève et s'avance* : M. le Recteur ! Vraiment, quel plaisir !

(*Entre le* CHANOINE CHASUBLE.)

---

4. Δ **the good... the bad** : adjectifs substantivés, désignant la totalité de ceux qui répondent à la définition (**all the good people, all the bad people**). Ils sont donc nécessairement pluriels. On ne peut les employer pour désigner une partie de l'ensemble. **Many bad people**, *de nombreux méchants* ; a **bad man**, *un méchant*. Attention ! on dit **(the) good**, *le bien* au sens moral : **for the good of humanity**, *pour le bien de l'humanité* ; **to return goof for evil**, *rendre le bien pour le mal*.

5. **pleasure** ['pleʒə].

CHASUBLE : And how are we this morning ? Miss Prism, you are, I trust, well ?

CECILY : Miss Prism has just been complaining of a slight headache[1]. I think it would do her so much good to have a short stroll with you in the park, Dr Chasuble.

MISS PRISM : Cecily, I have not mentioned anything about a headache.

CECILY : No, dear Miss Prism, I know that, but I felt instinctively that you had a headache. Indeed I was thinking about that, and not about my German lesson, when the Rector came in.

CHASUBLE : I hope, Cecily, you are not inattentive.

CECILY : Oh, I am afraid I am.

CHASUBLE : That is strange. Were I[2] fortunate enough to be Miss Prism's pupil, I would hang upon her lips. (MISS PRISM *glares.*) I spoke metaphorically. — My metaphor was drawn from bees. Ahem ! Mr Worthing, I suppose, has not returned from town yet ?

MISS PRISM : We do not expect him till Monday afternoon.

CHASUBLE : Ah yes, he usually likes[3] to spend his Sunday in London. He is not one of those whose sole aim is enjoyment, as, by all accounts, that unfortunate young man, his brother, seems to be. But I must not disturb Egeria[4] and her pupil any longer.

MISS PRISM : Egeria ? My name is Laetitia, Doctor.

CHASUBLE *(bowing)* : A classical allusion[5] merely, drawn from the Pagan[6] authors. I shall see you both no doubt at Evensong[7] ?

MISS PRISM : I think, dear Doctor, I will have a stroll[8] with you. I find I have a headache after all, and a walk might do it good.

---

1. **headache** ['hedeɪk], *mal de tête*.
2. **Were I fortunate enough** : If I were (irréel du présent) **fortunate enough**.
3. **he usually likes**, la traduction littérale « *il aime habituellement* » pourrait suggérer que ce n'est pas le cas en cette circonstance, d'où la traduction par *volontiers* qui réunit les deux sens de **usually** et de **like**.
4. **Egeria** : nymphe de l'Antiquité romaine. C'est elle, dit-on, qui conseillait Numa, deuxième roi de Rome. D'où le sens moderne d'*égérie, inspiratrice*.

CHASUBLE : Et comment allons-nous ce matin ? Vous allez bien, j'espère, Miss Prism ?

CECILY : Miss Prism vient juste de se plaindre d'une légère migraine. Je crois que cela lui ferait grand bien de marcher quelques pas avec vous dans le parc, M. le Recteur.

MISS PRISM : Je n'ai absolument pas parlé de migraine, Cecily.

CECILY : Non, chère Miss Prism, je le sais bien, mais je sens instinctivement que vous avez une migraine. En fait voilà à quoi je pensais, et non à ma leçon d'allemand quand M. le Recteur est arrivé.

CHASUBLE : J'espère, Cecily, que vous n'êtes pas une élève inattentive.

CECILY : J'en ai bien peur.

CHASUBLE : C'est étrange. Si j'avais le bonheur d'être l'élève de Miss Prism, je serais suspendu à ses lèvres. (MISS PRISM *le foudroie du regard.*) Je parlais métaphoriquement — ma métaphore était empruntée aux abeilles. Hm ! M. Worthing, je pense, n'est pas encore revenu de Londres ?

MISS PRISM : Nous ne l'attendons pas avant lundi après-midi.

CHASUBLE : Ah oui. Il passe volontiers le dimanche à Londres. Il n'est pas de ceux dont le seul but est le plaisir, comme semble-t-il, à en croire tout ce que l'on dit, ce malheureux jeune homme, son frère. Mais je ne dois pas déranger davantage Égérie et son élève.

MISS PRISM : Égérie ? Je m'appelle Laetitia, M. le Recteur.

CHASUBLE, *s'inclinant* : Allusion aux classiques, sans plus, tirée des auteurs païens. Je vous verrai sans doute toutes les deux aux Vêpres ?

MISS PRISM : Je crois, cher M. le Recteur, que je vais faire quelques pas avec vous. Je m'aperçois, en fin de compte, que j'ai la migraine, et une promenade me ferait du bien.

---

5. **A classical allusion**, notez l'emploi de l'article devant l'opposition, comme devant un attribut (**his father is a doctor**, *son père est médecin*) contrairement à l'usage français.

6. **Pagan**, *païen* ; **Chasuble** est chanoine de l'Église anglicane, et sa culture, comme son expression, en est fortement marquée.

7. **Evensong** : de **evening + song**, *vêpres*.

8. **a stroll** = *une ballade*.

CHASUBLE : With pleasure, Miss Prism, with pleasure. We might go as far as[1] the schools and back.

MISS PRISM : That would be delightful. Cecily, you will read your Political Economy in my absence. The chapter on the Fall of the Rupee you may omit. It is somewhat too sensational. Even these metallic problems have their melodramatic side.

(*Goes down the garden with* DR CHASUBLE.)

CECILY (*picks up books[2] and throws them back on table*) : Horrid Political Economy ! Horrid Geography ! Horrid, horrid German !

(*Enter* MERRIMAN *with a card on a salver.*)

MERRIMAN : Mr Ernest Worthing has just driven over from the station. He has brought his luggage[3] with him.

CECILY (*takes the card and reads it*) : 'Mr Ernest Worthing, B 4, The Albany, W.' Uncle Jack's brother ! Did you tell him Mr Worthing was in town ?

MERRIMAN : Yes, Miss. He seemed very much disappointed. I mentioned that you and Miss Prism were in the garden. He said he was anxious[4] to speak to you privately for a moment.

CECILY : Ask Mr Ernest Worthing to come here. I suppose you had better talk to the housekeeper about a room for him.

MERRIMAN : Yes, Miss.

(MERRIMAN *goes off.*)

CECILY : I have never met any really wicked person before. I feel rather frightened[5]. I am so afraid he will look just like every one else. (*Enter* ALGERNON, *very gay and debonair.*) He does !

---

1. △ **as far as** : le français ne distingue pas entre le temps et le lieu lorsqu'il emploie *jusqu'à* (jusqu'à demain, jusqu'à la gare). L'anglais fait cette distinction et emploie **till** ou **until** pour le temps (**till tomorrow**) et différents adverbes pour le lieu et l'espace selon l'aspect considéré, **as far as the station**, *jusqu'à la gare*, mais **as high as**, par exemple pour l'altitude : **this plane can fly as high as 35,000 feet**, *cet avion peut voler jusqu'à 35 000 pieds*.
2. **picks up books... table**. Notez l'absence de **the** devant **books** et **table**. Dans la langue courante il serait obligatoire. Ici il s'agit de la langue particulière des *indications scéniques* (**stage directions**).

CHASUBLE : Avec plaisir, Miss Prism, avec plaisir. Nous pourrions aller jusqu'aux écoles et revenir.

MISS PRISM : J'en serais ravie. Cecily, vous étudierez votre économie politique en mon absence. Le chapitre sur la chute de la Roupie, vous pouvez vous en dispenser. On y trouve un peu trop de sensationnel. Même ces problèmes ont leur côté mélodramatique.

(*Elle s'éloigne dans le jardin en compagnie de* CHASUBLE.)

CECILY *prend quelques livres et les rejette sur la table* : Abominable Économie Politique. Abominable Géographie. Abominable, abominable Allemand !

(*Entre* MERRIMAN, *apportant une carte sur un plateau.*)

MERRIMAN : M. Constant Worthing vient d'arriver de la gare. Il vient avec ses bagages.

CECILY *prend la carte et la lit* : M. Constant Worthing, B. 4, The Albany, Ouest. Le frère d'oncle Jack ! Lui avez-vous dit que M. Worthing était à Londres ?

MERRIMAN : Oui, Miss. Il a eu l'air déçu. Je lui ai indiqué que vous-même et Miss Prism étiez au jardin. Il a dit qu'il souhaitait vivement vous entretenir un instant en particulier.

CECILY : Priez M. Constant Worthing de venir ici. Je crois que vous feriez bien de voir l'intendant pour lui faire préparer une chambre.

MERRIMAN : Bien, Miss.

(MERRIMAN *sort.*)

CECILY : Je n'ai jamais rencontré de personnage vraiment pervers. Je ne me sens pas très rassurée. J'ai tellement peur qu'il ressemble au premier venu. (ALGERNON *entre, très gai, très jovial.*) Oui. C'est bien ça.

---

3. △ **luggage** : collectif singulier ; **his luggage**, *ses bagages. Un bagage*, **a piece of luggage, a bag.**

4. ▲ **to be anxious**, *être impatient, souhaiter.*

5. **frightened** : du verbe **to frighten**, *effrayer*, ne doit pas être confondu avec **afraid**, dérivé de **to fear**, *craindre*, **frightened** dénote une peur soudaine et passagère : **she was frightened by a mouse**, *une souris lui fit peur.* **Afraid** exprime un sentiment constant de peur ou d'inquiétude. **Children are afraid of the dark**, *les enfants ont peur du noir.*

ALGERNON *(raising his hat)* : You are my little cousin Cecily, I'm sure.

CECILY : You are under some strange mistake. I am not little. In fact, I believe I am more than usually tall for my age. (ALGERNON *is rather taken aback.[1]*) But I am your cousin Cecily. You, I see from your card, are Uncle Jack's brother, my cousin Ernest, my wicked[2] cousin Ernest.

ALGERNON : Oh! I am not really wicked at all, cousin Cecily. You mustn't think that I am wicked.

CECILY : If you are not, then you have certainly been deceiving[3] us all in a very inexcusable[4] manner. I hope you have not been leading a double life, pretending to be wicked and being really good all the time. That would be hypocrisy[5].

ALGERNON *(looks at her in amazement)* : Oh! Of course I have been rather reckless.

CECILY : I am glad to hear it.

ALGERNON : In fact, now you mention the subject, I have been very bad in my own small way[6].

CECILY : I don't think you should be so proud of that, though I am sure it must have been very pleasant.

ALGERNON : It is much pleasanter[7] being with you.

CECILY : I can't understand how you are here at all. Uncle Jack won't be back till Monday afternoon.

ALGERNON : That is a great disappointment[8]. I am obliged to go up by the first train on Monday morning. I have a business appointment that I am anxious... to miss!

CECILY : Couldn't you miss it anywhere but[9] in London?

---

1. **taken aback**, *surpris, interloqué, déconcerté.*

2. **wicked** : (dérivé de la même racine qui **witch**, *sorcière*) son sens va de *malfaisant* et *pernicieux* à *espiègle* et *malicieux*. La traduction par *mauvais sujet* évite de choisir un adjectif trop particulier.

3. ▲ **deceiving** : to deceive, *tromper* (ne pas confondre avec le français *décevoir*, **to disappoint** cf. note 8). Voir également **deceit**, *fraude, duperie*, et l'adjectif **deceitful** : *deceitful words, des paroles mensongères*, de même que **deception**, *erreur, illusion*, et l'adjectif **deceptive** : *appearances are deceptive, les apparences sont trompeuses.*

4. **inexcusable** [ɪnɪks'kjuːzəbl].

5. **hypocrisy** [hɪ'pɒkrɪsɪ].

84

ALGERNON, *soulevant son chapeau* : Vous êtes certainement ma petite cousine Cecily ?

CECILY : Vous commettez une étrange erreur. Je ne suis pas petite. En fait, je crois être plus grande qu'il n'est habituel à mon âge. (ALGERNON *est assez déconfenancé*.) Mais je suis votre cousine Cecily. Vous, d'après votre carte, vous êtes le frère d'oncle Jack, mon cousin Constant, ce mauvais sujet de cousin Constant.

ALGERNON : Oh, vraiment je ne suis pas un mauvais sujet du tout, cousine Cecily. Il ne faut pas croire cela.

CECILY : Si vous n'êtes pas un mauvais sujet, c'est donc que vous nous avez tous trompés d'une façon que l'on ne peut excuser. J'espère que vous n'avez pas mené une double vie, jouant au libertin alors que vous êtes en toutes circonstances un homme de bonnes mœurs. Ce serait de l'hypocrisie.

ALGERNON *la regarde, éberlué* : Oh ! Naturellement, j'ai eu quelques audaces.

CECILY : Je suis heureuse de l'entendre.

ALGERNON : En fait, maintenant que vous abordez ce sujet, j'avoue que j'ai une grande pratique du vice, à la mesure de mes modestes moyens.

CECILY : Je ne pense pas qu'il y ait lieu d'en être si fier, bien que, j'en suis sûre, cela ait dû être très agréable.

ALGERNON : Il est beaucoup plus agréable d'être ici avec vous.

CECILY : Je n'arrive pas à comprendre comment il se fait que vous soyez ici. Oncle Jack ne reviendra pas avant lundi après-midi.

ALGERNON : Vous m'en voyez très déçu. Je suis obligé de repartir par le premier train lundi matin. J'ai un rendez-vous d'affaires, que j'ai grande envie de... manquer.

CECILY : Vous serait-il impossible de le manquer ailleurs qu'à Londres ?

---

6. **in my own small way** : littéralement à ma modeste façon. La traduction n'a pas à tenir compte de **own**.

7. **much pleasanter** : forme très rare au lieu de **it is much more pleasant**.

8. **disappointment** [dɪsə'pɔɪntmənt].

9. **but**, ici = *si ce n'est, excepté, sauf.*

ALGERNON : No : the appointment is in London.

CECILY : Well, I know, of course, how important it is not to keep[1] a business engagement, if one wants to retain any sense of the beauty of life, but still I think[2] you had better wait till Uncle Jack arrives. I know he wants to speak to you about your emigrating[3].

ALGERNON : About my what ?

CECILY : Your emigrating. He has gone up to buy your outfit[4].

ALGERNON : I certainly wouldn't let Jack buy my outfit. He has no taste in neckties at all.

CECILY : I don't think you will require neckties. Uncle Jack is sending you to Australia.

ALGERNON : Australia ! I'd sooner die[5].

CECILY : Well, he said at dinner on Wednesday night, that you would have to choose between this world, the next world, and Australia.

ALGERNON : Oh, well ! The accounts I have received of Australia and the next world are not particularly encouraging. This world is good enough for me, cousin Cecily.

CECILY : Yes, but are you good enough for it ?

ALGERNON : I'm afraid I'm not that. That is why I want you to reform me. You might make that your mission, if you don't mind, cousin Cecily.

CECILY : I'm afraid I've no time, this afternoon.

ALGERNON : Well, would you mind my reforming myself this afternoon ?

CECILY : It is rather Quixotic[6] of you. But I think you should try.

ALGERNON : I will. I feel better[7] already.

---

1. △ **not to keep** : notez la forme de l'infinitif négatif.
2. △ **still I think** : still a ici le sens de *pourtant, tout de même*, marquant une certaine opposition entre les deux propositions (I know... I think...). Il ne faut pas confondre avec **I still think** (notez la place différente de **still** ici adverbe portant sur **think**), *je continue de penser.*
3. **your emigrating** : **the fact that you are going to emigrate.**
4. **outfit**, *équipement (vêtements et/ou matériel), tenue.* **She has a new spring outfit**, *elle a une nouvelle toilette de printemps.* Cf. **gents' outfitter's**, *maison de confection pour homme.*

ALGERNON : Impossible : le rendez-vous est à Londres.

CECILY : Bon, je sais évidemment combien il est important de ne pas aller à un rendez-vous d'affaires, si l'on veut garder un certain sens de la beauté de l'existence, mais je crois quand même que vous devriez attendre le retour d'oncle Jack. Je sais qu'il veut vous parler de votre émigration.

ALGERNON : De quoi ?

CECILY : De votre émigration. Il est allé à Londres pour vous acheter les effets nécessaires.

ALGERNON : Je ne laisserais certainement pas Jack acheter mes effets. Il n'a aucun goût pour choisir les cravates.

CECILY : Je ne pense pas que vous ayez besoin de cravates. Oncle Jack vous envoie en Australie.

ALGERNON : En Australie ? Plutôt mourir.

CECILY : Justement, au cours du dîner mercredi soir, il a dit qu'il vous faudrait choisir entre ce monde, l'autre monde, ou l'Australie.

ALGERNON : Ah, bon ! Ce que j'ai entendu dire de l'Australie et de l'autre monde ne m'a pas paru très encourageant. Ce monde est assez bon pour moi, ma cousine.

CECILY : Bien sûr, mais êtes-vous assez bon pour lui ?

ALGERNON : Je crois bien que non. C'est pourquoi je veux que vous me réformiez. Vous pourriez en faire votre mission, si vous le voulez, Cecily.

CECILY : J'ai bien peur de ne pas en avoir le temps cet après-midi.

ALGERNON : Eh bien, vous déplairait-il que cet après-midi je me réforme moi-même ?

CECILY : Vous donnez plutôt dans l'utopie. Mais je crois que vous devriez essayer.

ALGERNON : Je vais essayer. Je sens déjà que je fais des progrès.

---

5. **I'd sooner**, = I **would sooner** = **I'd rather** (pour exprimer la préférence).

6. **Quixotic** : comme don Quichotte, *qui entreprend un projet chimérique*. Signifie aussi *généreux* et *visionnaire*.

7. **I feel better**, **Algernon** et **Cecily** jouent sur le sens physique et moral de **better** et **worse**.

CECILY : You are looking a little worse.

ALGERNON : That is because I am hungry.

CECILY : How thoughtless of me. I should have remembered that, when one is going to lead an entirely new life, one requires regular and wholesome[1] meals. Won't you[2] come in ?

ALGERNON : Thank you. Might I have a buttonhole[3] first ? I have never any appetite unless I have a buttonhole first.

CECILY : A Maréchal Niel[4] ? *(Picks up scissors[5].)*

ALGERNON : No, I'd sooner have a pink rose.

CECILY : Why ? *(Cuts a flower.)*

ALGERNON : Because you are like a pink rose, cousin Cecily.

CECILY : I don't think it can be right for you to talk to me like that. Miss Prism never says such things to me.

ALGERNON : Then Miss Prism is a short-sighted old lady (CECILY *puts the rose in his buttonhole.*) You are the prettiest girl I ever saw.

CECILY : Miss Prism says that all good looks are a snare.

ALGERNON : They are a snare that every sensible[6] man would like to be caught in.

CECILY : Oh, I don't think I would care to catch a sensible man. I shouldn't[7] know what to talk to him about.

(They pass into the house. MISS PRISM and Dr CHASUBLE return.)

MISS PRISM : You are too much alone, dear Dr Chasuble. You should get married. A misanthrope I can understand — a womanthrope[8], never !

---

1. **wholesome** ['hɔulsəm], *sain, salubre.* Ceci explique que **meals** est traduit par *repas et nourriture.*
2. **won't you** est une forme d'invitation plus emphatique et plus pressante que **will you**...
3. **buttonhole** désigne d'abord la *boutonnière,* puis la *fleur* que l'on met à la boutonnière. C'est encore une pratique courante dans la « bonne société » de porter la boutonnière avec la « *jaquette* » (**morning-coat**).
4. **Maréchal Niel** : belle rose jaune.
5. **scissors** ; normalement **a pair of scissors** ['sizəz].
6. **A sensible** : en parlant d'une personne *sensée, raisonnable.* Par contre, le français *sensible* pourrait se traduire par **sensitive**.

CECILY : Vous m'avez l'air un peu plus mal en point.

ALGERNON : C'est parce que j'ai faim.

CECILY : Que je suis négligente ! J'aurais dû me rappeler que quelqu'un qui s'apprête à mener une existence entièrement nouvelle a besoin d'une nourriture saine et de repas réguliers. Entrez donc, voulez-vous ?

ALGERNON : Merci. Mais pourrais-je d'abord avoir une fleur pour ma boutonnière ? Je n'ai pas d'appétit si je n'ai pas de fleur à ma boutonnière.

CECILY : Une Maréchal Niel ? *(Elle prend une paire de ciseaux.)*

ALGERNON : Non, je préférerais une rose rose.

CECILY : Et pourquoi ? *(Elle coupe une fleur.)*

ALGERNON : Parce que vous ressemblez à une rose rose, cousine Cecily.

CECILY : Je ne crois pas que vous ayez le droit de me tenir ce langage. Miss Prism ne me dit jamais rien de tel.

ALGERNON : C'est donc que Miss Prism est une vieille dame myope. (CECILY *lui arrange sa rose à la boutonnière.*) Vous êtes la plus jolie jeune personne que j'aie jamais vue.

CECILY : Miss Prism dit que beau visage est un piège.

ALGERNON : Piège auquel tout homme de bon sens aimerait bien se faire prendre.

CECILY : Oh, je crois que je n'aimerais pas y prendre un homme de bon sens. Je ne saurais pas de quoi lui parler.

> *(Ils pénètrent dans la maison.* MISS PRISM *et*
> CHASUBLE *reviennent.)*

MISS PRISM : Vous vivez trop seul, cher M. Chasuble. Vous devriez vous marier. Je peux comprendre un misanthrope, mais un femmanthrope, jamais.

---

7. **shouldn't** : on dirait aujourd'hui I **wouldn't**. **Should** est de nos jours principalement employé à toutes les personnes pour exprimer la notion de *devoir (se conformer à un principe, suivre un conseil)* et pour former le subjonctif ; ex. : **he proposed that the trip should be postponed**, *il proposa que le voyage soit retardé.*
8. **womanthrope** : **Wilde** reprend ici une tradition illustrée en particulier par **Sheridan** (1751-1816), Irlandais comme lui. Dans la pièce **The Rivals, Mrs Malaprop** (du français *mal à propos*) se rend ridicule par ses erreurs de langue et ses pataquès. D'où le terme anglais **malapropism** : *pataquès.*

CHASUBLE *(with a scholar's[1] shudder)* : Believe me, I do not deserve so neologistic a phrase. The precept as well as the practice of the Primitive Church was distinctly against matrimony.

MISS PRISM *(sententiously)* : That is obviously the reason why the Primitive Church has not lasted up to the present day. And you do not seem to realize, dear Doctor, that by persistently remaining[2] single[3], a man converts himself into a permanent public temptation. Men should be more careful ; this very celibacy[4] leads weaker vessels astray[5].

CHASUBLE : But is a man not equally attractive[6] when married ?

MISS PRISM : No married man is ever attractive except to his wife.

CHASUBLE : And often, I've been told, not even to her.

MISS PRISM : That depends on the intellectual sympathies of the woman. Maturity[7] can always be depended on. Ripeness can be trusted. Young women are green. *(Dr* CHASUBLE *starts.)* I spoke horticulturally. My metaphor was drawn from fruits. But where is Cecily ?

CHASUBLE : Perhaps she followed us to the schools.

(Enter JACK *slowly from the back of the garden. He is dressed in the deepest mourning[8], with crêpe hatband and black gloves.)*

MISS PRISM : Mr Worthing !

CHASUBLE : Mr Worthing ?

MISS PRISM : This is indeed a surprise. We did not look for[9] you till Monday afternoon.

---

1. **scholar** : *savant, érudit* ; **Chasuble** frissonne d'horreur devant le pataquès de **Miss Prism**.
2. △ **by remaining** : by + −ing = en + participe présent pour exprimer que le moyen est délibérément choisi en vue d'une fin. **He succeeded by working hard**, *il réussit grâce à un travail acharné (= en travaillant beaucoup).*
3. **single** : ici *unmarried*.
4. **celibacy** ['selibəsi].
5. **astray** : to lead astray, *égarer* ; to go astray, *s'égarer*, dans le sens de *détourner du droit chemin.* Cf. **to stray away**, *errer*, **to stray (away) from**, *s'écarter de* : **The ships strayed from their course**, *les bateaux perdirent leur cap, (s'écartèrent de leur route).* Cf. l'adjectif **stray** : **a stray dog**, *un chien errant*, **a stray**

90

CHASUBLE, *avec un frisson d'homme de science* : Croyez-moi, je ne mérite pas un tel néologisme. Les préceptes de même que la pratique de l'Église primitive étaient clairement hostiles au mariage.

MISS PRISM, *d'un ton sentencieux* : Voilà évidemment la raison pour laquelle l'Église Primitive n'a pas duré jusqu'à nos jours. Et vous ne semblez pas voir, cher Recteur, qu'en vous obstinant à rester célibataire un homme se convertit en objet permanent de tentation publique. Les hommes devraient être plus vigilants ; c'est ce célibat même qui égare les vaisseaux les plus faibles.

CHASUBLE : Mais un homme n'exerce-t-il pas autant d'attrait lorsqu'il est marié ?

MISS PRISM : Un homme marié n'exerce d'attrait que sur sa femme.

CHASUBLE : Et souvent, m'a-t-on dit, ce n'est même pas le cas.

MISS PRISM : Cela dépend des sympathies intellectuelles de la femme. On peut toujours s'en remettre à l'âge mûr. On peut avoir confiance en la maturité. Les jeunes femmes sont vertes. (CHASUBLE *sursaute*.) Horticulturellement parlant. Ma métaphore est empruntée aux fruits. Mais où donc est Cecily ?

CHASUBLE : Elle nous a peut-être suivis jusqu'aux écoles.

(JACK *entre, lentement, par le fond du jardin. Il porte des habits de grand deuil, avec un crêpe noir au chapeau, et des gants noirs.*)

MISS PRISM : M. Worthing !

CHASUBLE : M. Worthing ?

MISS PRISM : En voilà une surprise. Nous ne vous attendions pas avant lundi après-midi.

---

sheep, *une brebis égarée* ; d'où le sens de *rare, isolé* : **a few stray houses**, *quelques maisons isolées*.
6. △ **is a man not equally attractive** : not porte sur **equally attractive**. La forme interrogative de **a man is not...** est normalement **is not a man ?**
7. **maturity** [mə'tjʊərɪtɪ].
8. **mourning** : ici *vêtements de deuil*. Cf. **to mourn for somebody**, *pleurer la mort de quelqu'un*, d'où **mourning**, *deuil* ; **the mourners**, *le cortège funèbre* ; **mournful**, *funèbre, lugubre* ; **a mournful expression**, *une mine d'enterrement*.
9. △ **look for**, ici *expect* (**we did not expect you**).

JACK (*shakes* MISS PRISM*'s hand in a tragic manner.*) : I have returned sooner than I expected. Dr Chasuble, I hope you are well ?

CHASUBLE : Dear Mr Worthing, I trust this garb of woe does not betoken[1] some terrible calamity ?

JACK : My brother.

MISS PRISM : More[2] shameful debts[3] and extravagance ?

CHASUBLE : Still leading his life of pleasure ?

JACK (*shaking his head*) : Dead !

CHASUBLE : Your brother Ernest dead ?

JACK : Quite dead.

MISS PRISM : What a lesson for him ! I trust he will profit by it.

CHASUBLE : Mr Worthing, I offer you my sincere condolence[4]. You have at least the consolation of knowing that you are always the most generous and forgiving of brothers.

JACK : Poor Ernest ! He had many faults, but it is a sad, sad blow.

CHASUBLE : Very sad indeed. Were you with him at the end ?

JACK : No. He died abroad ; in Paris, in fact. I had a telegram last night from the manager[5] of the Grand Hotel.

CHASUBLE : Was the cause of the death mentioned[6] ?

JACK : A severe chill, it seems.

MISS PRISM : As a man sows, so shall he reap[7].

CHASUBLE (*raising his hand*) : Charity, dear Miss Prism, charity ! None of us are[8] perfect. I myself am peculiarly susceptible to draughts. Will the interment[9] take place here ?

JACK : No. He seems to have expressed a desire to be buried in Paris.

---

1. **this garb of woe does not betoken** : on remarquera le style ampoulé et la langue prétentieuse, volontiers teintée d'archaïsmes, de **Chasuble** ; **garb**, *costume*, ne s'emploie guère aujourd'hui que dans un sens humoristique ; **woe**, *malheur*, est également humoristique ou archaïque : **woe is me**, *pauvre de moi !* (par contre **woeful**, *triste, affligeant*, est encore usité) ; **betoken**, *annoncer, présager*, ou *être le signe de*.

2. **⚠ More** : pris ici dans le sens de *davantage de*, plutôt que comme comparatif de **shameful**, cependant possible. **Miss Prism** cherchant la cause de cette tenue, le substantif est utilisé dans la traduction de préférence à l'adjectif.

3. **debts** [dets].

92

JACK *serre la main de* MISS PRISM *dans un geste tragique* : Je suis de retour plus tôt que je ne le pensais. M. le Recteur, vous allez bien, j'espère ?

CHASUBLE : Cher M. Worthing, je veux croire que ces funestes atours ne sont pas l'augure d'une terrible calamité ?

JACK : Mon frère.

MISS PRISM : La honte de nouvelles dettes et de nouvelles extravagances.

CHASUBLE : Toujours adonné à une vie de plaisirs ?

JACK, *secouant la tête* : Mort !

CHASUBLE : Votre frère Constant, mort ?

JACK : Bel et bien mort.

MISS PRISM : Quelle leçon pour lui ! J'espère qu'elle lui servira.

CHASUBLE : M. Worthing, je vous présente mes sincères condoléances. Vous avez au moins la consolation de savoir que vous êtes le frère le plus généreux et le plus indulgent.

JACK : Pauvre Constant ! Il avait bien des défauts, mais ce coup du sort est triste, triste.

CHASUBLE : Oui, très triste. Étiez-vous près de lui à ses derniers instants ?

JACK : Non, il est mort à l'étranger, à Paris pour tout vous dire. J'ai reçu hier soir un télégramme du directeur du Grand Hôtel.

CHASUBLE : Indiquait-il la cause du décès ?

JACK : Un gros refroidissement, semble-t-il.

MISS PRISM : On récolte ce qu'on a semé.

CHASUBLE, *levant la main* : De la charité, Miss Prism, de la charité ! Aucun de nous n'est parfait. Je suis moi-même très sensible aux courants d'air. L'inhumation aura-t-elle lieu ici ?

JACK : Non. Il a, semble-t-il, exprimé le désir d'être enterré à Paris.

---

4. **condolence** : aujourd'hui on dirait plutôt **sympathy** ou **condolences**.

5. **manager** ['mænɪdʒə].

6. **mentioned**, notez l'orthographe ; pas de redoublement de **n**, car la syllabe n'est pas accentuée.

7. **so shall he reap** : notez l'inversion due à **so**, et l'emploi de **shall** indiquant le futur inévitable tel qu'on le trouve dans les sentences morales ou la langue juridique.

8. **None of us are** : on dit plus couramment **none of us is perfect**.

9. **interment** : aujourd'hui on dirait **burial** ['berɪəl].

CHASUBLE : In Paris ! *(Shakes his head.)* I fear that[1] hardly
points to any very serious state of mind at the last. You
would no doubt[2] wish me to make some slight allusion
to this tragic domestic affliction next Sunday. (JACK *presses his hand convulsively*.) My sermon on the meaning
of the manna[3] in the wilderness[4] can be adapted to
almost any occasion, joyful, or, as in the present case,
distressing. *(All sigh.)* I have preached it at harvest cele-
brations, christenings, confirmations, on days of humi-
liation and festal[5] days. The last time I delivered it was
in the Cathedral, as a charity sermon on behalf of the
Society for the Prevention of Discontent among the
Upper Orders. The Bishop, who was present, was much
struck by some of the analogies[6] I drew.

JACK : Ah ! that reminds me[7], you mentioned christenings
I think, Dr Chasuble ? I suppose you know how to
christen[8] all right ? (DR CHASUBLE *looks astounded*.) I
mean, of course, you are continually christening, aren't
you ?

MISS PRISM : It is, I regret to say, one of the Rector's most
constant duties in this parish. I have often spoken to the
poorer classes on the subject. But they don't seem to
know what thrift is.

CHASUBLE : But is there any particular infant in whom you
are interested[9], Mr Worthing ? Your brother was, I
believe, unmarried, was he not[10] ?

JACK : Oh yes.

---

1. Δ **that** : ici, pronom = **desire to be buried in Paris**.
2. **doubt** [daʊt].
3. **manna** ['mænə], *nourriture* miraculeusement trouvée par les
Hébreux dans le désert (cf. Exode 16.14-36).
4. **wilderness**, l'adjectif **wild**, *sauvage*, se prononce [waild] ; mais
wilderness se prononce ['wɪldənɪs]. Cf. : **to cry in the wilderness**
(Matthieu, 3), *prêcher dans le désert*.
5. **festal** : archaïque ; on dirait aujourd'hui **festive days** ou encore
feast days.
6. **analogies** [ə'næləʤɪz].
7. Δ **reminds me** : **to remind somebody of something**, *rappeler
quelque chose à quelqu'un*. **To remind somebody that**, *rappeler
à quelqu'un que*. **You are reminded that**, *nous vous rappelons que*.
To remind somebody to do something, *rappeler à quelqu'un de
faire quelque chose*. Ne pas confondre avec **to remember**, *se rappeler* : **I can't remember his name**, *Je ne peux me rappeler son
nom* ; **he suddenly remembered he had an appointment**, *il se rap-*

94

CHASUBLE : À Paris ! *(Il secoue la tête.)* Je crains que cela n'indique à quel point il avait l'esprit troublé lors de ses derniers instants. Vous souhaiteriez sans doute que je fasse une rapide allusion à cette douloureuse tragédie familiale dimanche prochain. *(JACK lui serre convulsivement la main.)* Mon sermon sur la signification de la manne dans le désert peut être adapté à n'importe quelle circonstance, à la joie ou, comme en l'occurrence, à l'affliction. *(Tous poussent un soupir.)* Je l'ai prêché pour célébrer les moissons, les baptêmes, les confirmations, aux jours d'humilité, aux jours de fête. La dernière fois que je l'ai prononcé, c'était à la cathédrale, comme sermon sur la charité, au profit de la Société pour la Prévention du Mécontentement dans les Classes Supérieures. L'évêque, qui était présent, fut très frappé par certaines analogies que j'y établissais.

JACK : Ah, à propos, vous avez parlé de baptême, je crois, M. le Recteur ? Je suppose que vous êtes parfaitement capable d'administrer le baptême ? *(CHASUBLE prend un air interloqué.)* Je veux dire que, naturellement, vous n'arrêtez pas de baptiser, n'est-ce pas ?

MISS PRISM : C'est, j'ai le regret de le dire, l'office le plus constant de M. le Recteur dans cette paroisse. J'ai souvent entretenu les pauvres de ce sujet, mais ils ne semblent pas comprendre ce que parcimonie veut dire.

CHASUBLE : Mais y a-t-il un petit enfant auquel vous vous intéressez particulièrement, M. Worthing ? Votre frère, je crois, était célibataire, n'est-ce pas ?

JACK : Oh oui !

---

pela tout à coup qu'il avait un rendez-vous ; **I remember posting the letter**, *je me rappelle avoir posté la lettre* ; **remember to post this letter**, *n'oublie pas (= rappelle-toi) de poster cette lettre* (notez la différence de construction).

8. **christen, christening** [ˈkrɪsn, ˈkrɪsnɪŋ].

9. **in whom you are interested** : on dirait aujourd'hui **you are interested in**.

10. Δ **was he not ?** : notez la place du pronom dans la forme interro-négative non contractée.

MISS PRISM (*bitterly*) : People who live entirely for pleasure usually are.

JACK : But it is not for any child, dear Doctor. I am very fond of children. No ! the fact is, I would like to be christened myself, this afternoon, if you have nothing better to do.

CHASUBLE : But surely, Mr Worthing, you have been christened already ?

JACK : I don't remember anything about it.

CHASUBLE : But have you any grave doubts on the subject ?

JACK : I certainly intend to have. Of course I don't know if the thing would bother you in any way, or if you think I am a little too old now.

CHASUBLE : Not at all. The sprinkling, and, indeed, the immersion of adults is a perfectly canonical practice.

JACK : Immersion !

CHASUBLE : You need have no apprehensions. Sprinkling is all that[1] is necessary, or indeed I think advisable. Our weather is so changeable. At what hour[2] would[3] you wish the ceremony performed ?

JACK : Oh, I might trot round about five if that would suit you.

CHASUBLE : Perfectly, perfectly ! In fact I have two similar ceremonies to perform at that time. A case of twins that occurred recently in one of the outlying[4] cottages[5] on your own estate[6]. Poor Jenkins the carter, a most hardworking man[7].

JACK : Oh ! I don't see much fun in being christened along with other babies. It would be childish. Would half-past five do[8] ?

---

1. Δ **all that** : notez que **that** est obligatoirement le relatif associé à **all**.
2. **At what hour** = at what time.
3. **would** n'est pas un conditionnel ; il marque une certaine déférence, tout au moins en apparence, de Jack vis à vis du Recteur. On pourrait le paraphraser ainsi : *si vous aviez l'obligeance de considérer que cette heure vous convient.*
4. **outlying**, dérivé de **lie + out**, *écarté, isolé.* L'idée d'éloignement est rendue ici par *là-bas, tout au bout* ; cf. **an outpost**, *un avant-poste.*
5. **cottage** : *maison de paysan* ; rien à voir en fait avec nos charmants cottages.

96

MISS PRISM, *d'un ton amer* : Ceux qui ne vivent que pour le plaisir le sont, en général.

JACK : Il ne s'agit pas d'un enfant, mon cher Recteur. J'aime beaucoup les enfants. Non, le fait est que j'aimerais moi-même être baptisé, cet après-midi, si vous n'avez rien de mieux à faire.

CHASUBLE : Mais M. Worthing, vous êtes certainement déjà baptisé ?

JACK : Je n'en ai gardé aucun souvenir.

CHASUBLE : Mais avez-vous des doutes sérieux sur la question ?

JACK : J'ai certainement l'intention d'en avoir. Évidemment je ne sais si cette affaire vous causerait quelques soucis, ou si vous pensez que je suis maintenant un peu trop vieux.

CHASUBLE : Pas du tout. L'aspersion et même l'immersion des adultes est une pratique parfaitement conforme au canon de l'église.

JACK : L'immersion !

CHASUBLE : Inutile de vous inquiéter. Seule l'aspersion est nécessaire, ou même, à mon avis, souhaitable. Notre climat est si capricieux. A quelle heure souhaitez-vous que l'on procède à la cérémonie ?

JACK : Oh, je pourrais faire un saut aux environs de cinq heures, si cela vous convenait.

CHASUBLE : C'est parfait, parfait. A vrai dire j'ai deux cérémonies semblables à célébrer à cette heure-là. Un cas de naissances jumelles dans l'une des chaumières là-bas tout au bout de votre domaine. Ce pauvre Jenkins, le charretier. Un homme qui ne rechigne pas à l'ouvrage.

JACK : Cela ne m'amuse guère d'être baptisé en même temps que d'autres bébés. Ce serait puéril. Est-ce que cinq heures et demie vous irait ?

---

6. **estate** : ici *propriété, domaine* ; mais aussi *succession* (ce que laisse un défunt). Signifie également *état (rang, condition)* **the Third Estate**, *le Tiers État* ; **the fourth estate**, *le quatrième pouvoir* (la presse) ; **to reach man's estate**, *atteindre l'âge d'homme*.

7. **a most hard-working man**, *un homme extrêmement travailleur* (superlatif absolu). La traduction doit rendre compte des deux sens : *acharné au travail, et à faire des enfants*.

8. **do** ; ici **to do** signifie *aller, convenir*.

CHASUBLE : Admirably ! Admirably ! *(Takes out watch.)* And now, dear Mr Worthing, I will not intrude any longer into a house of sorrow. I would merely beg you not to be too much bowed[1] down by grief. What seem to us bitter trials[2] are often blessings[3] in disguise.

MISS PRISM : This seems to me a blessing of an extremely obvious kind.

(Enter CECILY from the house.)

CECILY : Uncle Jack ! Oh, I am pleased to see you back. But what horrid clothes you have got on. Do go[4] and change them.

MISS PRISM : Cecily !

CHASUBLE : My child ! my child ! *(CECILY goes towards JACK ; he kisses her brow[5] in a melancholy manner.)*

CECILY : What is the matter, Uncle Jack ? Do look happy ! You look as if you had toothache[6], and I have got such a surprise for you. Who do you think is in the dining-room ? Your brother !

JACK : Who ?

CECILY : Your brother Ernest. He arrived about half an hour ago.

JACK : What nonsense ! I haven't got a brother.

CECILY : Oh, don't say that. However[7] badly he may have behaved to you in the past he is still your brother. You couldn't be so heartless as[8] to disown him. I'll tell him to come out. And you will shake hands with him, won't you, Uncle Jack ? *(Runs back into the house.)*

CHASUBLE : These are very joyful tidings[9].

---

1. **bowed** [baʊd] ; de même a **bow** [baʊ], *un salut*. Mais **bow** [bəʊ], *arc, archet, nœud-papillon*.

2. **trials** [traɪəlz], ici *épreuves* ; **a trial of strength**, *une épreuve de force*. Trial peut, par ailleurs, signifier *procès, jugement* (**trial by jury**, *jugement par un jury*) et *essai, test*, **to give somebody a trial**, *mettre quelqu'un à l'essai*.

3. **blessings** : *bénédiction* (**to bless**, *bénir*) : **God bless you !** ; également *bienfaits* : **the blessings of civilization**.

4. **Do go** : forme emphatique de l'impératif.

5. **brow** : *forehead, front*.

6. **toothache** ['tuːθ‑eɪk].

7. **However**, en tête de proposition, obligatoirement suivi (comme **how**) de l'adverbe ou adjectif sur lequel il porte. Il permet d'envisager tous les degrés possibles de l'adjectif ou de l'adverbe (ici

CHASUBLE : Admirablement, admirablement ! *(Il sort sa montre.)* Et maintenant, cher M. Worthing, je n'imposerai pas davantage ma présence dans une maison frappée par la douleur. Je voudrais simplement vous prier de ne pas vous laisser trop abattre par le chagrin. Sous ce qui nous paraît être une cruelle épreuve se dissimule souvent une bénédiction.

MISS PRISM : La bénédiction me semble tout à fait évidente.

(Entre CECILY*, venant de la maison.)*

CECILY : Oncle Jack ! Que je suis heureuse de vous voir de retour. Mais que vous voilà horriblement mis. Allez vous changer, allez !

MISS PRISM : Cecily !

CHASUBLE : Mon enfant, mon enfant ! *(*CECILY *s'avance vers* JACK. *Il l'embrasse avec mélancolie.)*

CECILY : Que se passe-t-il, Oncle Jack ? Ayez donc l'air heureux ! On dirait que vous avez une rage de dent, et moi qui vous réserve une si bonne surprise. Qui, croyez-vous, se trouve dans la salle à manger ? Votre frère !

JACK : Qui ?

CECILY : Constant, votre frère. Il est arrivé il y a environ une demi-heure.

JACK : Quelle sottise : je n'ai pas de frère !

CECILY : Ne dites pas cela. Même s'il s'est très mal conduit envers vous, dans le passé, c'est toujours votre frère. Vous ne pouvez pas avoir la cruauté de le renier. Je vais lui dire de sortir, et vous vous serrerez la main, n'est-ce pas, oncle Jack ? *(Elle se précipite dans la maison.)*

CHASUBLE : Voilà de très heureuses nouvelles.

= **even if he has behaved very badly**, *même s'il s'est très mal conduit*), ce qui explique l'emploi fréquent de **may**. C'est à cause de **however** que l'on a traduit **still** par *toujours*, de préférence à *quand même* qui est un sens possible.

8. **so heartless as to** : **so** + adjectif + **as to**, littéralement *si... au point que*. A rapprocher de **so that** + verbe à une forme finie : **He was so heartless that he disowned him.**

9. **tidings**, terme littéraire pour **news** mais **tidings** est pluriel, alors que **news** est invariable singulier : **This is good news ; what's the news ?**

MISS PRISM : After we had all been resigned[1] to his loss, his sudden return seems to me peculiarly distressing.

JACK : My brother is in the dining-room ? I don't know what it all means. I think it is perfectly absurd.

(*Enter* ALGERNON *and* CECILY *hand in hand. They come slowly up to* JACK.)

JACK : Good heavens ! (*Motions* ALGERNON *away.*)

ALGERNON : Brother John, I have come down from town to tell you that I am very sorry for all the trouble I have given you, and that I intend to lead a better life in the future. (JACK *glares*[2] *at him and does not take his hand.*)

CECILY : Uncle Jack, you are not going to refuse your own brother's hand ?

JACK : Nothing will induce me to take his hand. I think his coming down here disgraceful[3]. He knows perfectly well why.

CECILY : Uncle Jack, do be nice. There is some good in everyone. Ernest has just been telling me about his poor invalid friend Mr Bunbury whom he goes to visit so often. And surely there must be much good in one who is kind to an invalid, and leaves the pleasures of London to sit by a bed of pain.

JACK : Oh ! he has been talking about Bunbury, has he[4] ?

CECILY : Yes, he has told me about poor Mr Bunbury, and his terrible state of health.

JACK : Bunbury ! Well, I won't have him talk[5] to you about Bunbury or about anything else. It is enough to drive one perfectly frantic[6].

---

1. **resigned** [rɪ'zaɪn] ; **to be resigned**, *se résigner, être résigné* ; **to resign**, *démission, céder*.

2. **glare** [glɛə], *lancer un regard furieux* ; **to glare defiance at**, *lancer un regard de défi* ; **a glaring sun**, *un soleil aveuglant* ; **the glare of publicity**, *les feux de la publicité*.

3. **I think his coming down here disgraceful** : construction d'un verbe exprimant l'opinion ou le jugement (**think, consider, find,** etc.) avec un complément suivi d'un adjectif attribut. On notera ici le complément très développé : **his coming down here.** Autre exemple : **I consider betting silly,** *je trouve qu'il est idiot de parier.* **I find it stupid,** *je trouve ça stupide.*

MISS PRISM : Alors que nous étions tous résignés à sa perte, son retour soudain est une épreuve particulièrement affligeante.

JACK : Mon frère dans la salle à manger ? Je ne vois pas ce que cela peut vouloir dire. C'est parfaitement absurde.

(*Entrent* ALGERNON *et* CECILY, *main dans la main ; lentement, ils s'avancent vers* JACK.)

JACK : Mon dieu ! (*D'un geste il ordonne à* ALGERNON *de partir.*)

ALGERNON : Mon cher frère, je suis venu te dire combien je suis navré de t'avoir causé tant d'ennuis, et que j'ai l'intention désormais de mener une existence plus convenable. (JACK *le foudroie du regard et ne prend pas la main qu'il lui tend.*)

CECILY : Oncle Jack, vous n'allez pas refuser de serrer la main de votre propre frère ?

JACK : Rien ne me fera serrer cette main. Venir ici est inconvenant de sa part. Il en connaît parfaitement la raison.

CECILY : Mon oncle, ne soyez pas cruel. Il y a quelque chose de bon en chacun d'entre nous. Constant vient juste de me parler de M. Bunbury, son pauvre ami malade, à qui il va si souvent rendre visite. Il y a certainement quelque chose de très bon chez quelqu'un qui témoigne de la sollicitude à un grand malade et fuit les plaisirs de Londres pour veiller au chevet de la douleur.

JACK : Ah oui,... il vous a parlé de Bunbury ?

CECILY : Oui, il m'a tout dit de ce pauvre M. Bunbury et de l'état effroyable de sa santé.

JACK : Bunbury ! Eh bien je lui interdis de vous parler de Bunbury ou de toute autre chose. Il y a de quoi devenir fou.

---

4. △ **has he ?** : la **question tag**, ou clausule interrogative de même signe que la phrase précédente (elles sont ici toutes deux positives) indique la surprise, l'indignation, l'incrédulité de celui qui parle. La clausule de signe opposé (ce serait ici **hasn't he ?**), signifie : *vous confirmez, n'est-ce pas, que ce que je dis est exact ?*

5. △ **I won't have him talk** : l'expression **I won't + have +** complément + infinitif sans **to**, s'emploie pour signifier que l'on n'accepte pas un fait, que l'on interdit un acte. D'autres traductions que *interdire* sont possibles, suivant le contexte : **I won't have him smoke in bed**, *je ne veux pas le voir fumer au lit.*

6. **frantic** [fræntɪk].

ALGERNON : Of course I admit that the faults were all on my side. But I must say that I think that Brother John's coldness to me is peculiarly[1] painful. I expected a more enthusiastic[2] welcome especially considering it is the first time[3] I have come here.

CECILY : Uncle Jack, if you don't shake hands with Ernest I will never forgive you.

JACK : Never forgive me ?

CECILY : Never, never, never !

JACK : Well, this is the last time I shall ever do it[4]. (*Shakes hands with* ALGERNON *and glares.*)

CHASUBLE : It's pleasant, is it not, to see so perfect a reconciliation[5] ! I think we might leave the two brothers together.

MISS PRISM : Cecily, you will come with us.

CECILY : Certainly, Miss Prism. My little task of reconciliation is over.

CHASUBLE : You have done a beautiful action today, dear child.

MISS PRISM : We must not be premature[6] in our judgments.

CECILY : I feel very happy. (*They all go off except* JACK *and* ALGERNON.)

JACK : You young scoundrel[7], Algy, you must get out of this place as soon as possible. I don't allow any Bunburying here.

(*Enter* MERRIMAN)

MERRIMAN : I have put Mr Ernest's things in the room next to yours, sir. I suppose that is all right ?

JACK : What ?

MERRIMAN : Mr Ernest's luggage, sir. I have unpacked it and put it in the room next to your own.

---

1. **peculiarly** [pɪ'kju:lɪəlɪ] = especially.
2. **enthusiastic** [ɪn,θu:zɪ'æstɪk].
3. Δ **it is the first time I have come** : the first time, comme **ever**, situe l'action dans une période commencée antérieurement et qui se poursuit au moment où on parle ; c'est pourquoi, lorsque le temps de référence est le présent, **the first time** est construit avec le present-perfect.
4. Δ **it is the last time I shall ever do it** : par symétrie avec it is the first time qui part du présent et vise le passé, se construisant avec le **present-perfect, it is the last time** part du présent et vise l'avenir, et se construit avec le futur. Le français emploie le présent.

ALGERNON : Je reconnais, naturellement, que tous les torts sont de mon côté. Mais je dois dire que la froideur dont mon frère John fait preuve envers moi m'est particulièrement pénible. J'espérais un accueil plus enthousiaste, d'autant que c'est la première fois que je viens ici.

CECILY : Mon oncle, si vous ne serrez pas la main de Constant je ne vous le pardonnerai jamais.

JACK : Vous ne me le pardonneriez jamais ?

CECILY : Jamais, jamais, jamais !

JACK : Soit, mais je le fais pour la dernière fois. *(Il serre la main d'*ALGERNON, *tout en le foudroyant du regard.)*

CHASUBLE : Quel bonheur, n'est-ce pas, d'être témoin d'une réconciliation complète ! Je crois que nous pourrions laisser les deux frères seul à seul.

MISS PRISM : Cecily, vous nous accompagnez.

CECILY : Certainement, Miss Prism. Ma petite œuvre de réconciliation est achevée.

CHASUBLE : Vous avez fait une belle action, aujourd'hui, ma chère enfant.

MISS PRISM : Gardons-nous de porter des jugements prématurés.

CECILY : Je me sens très heureuse. *(Ils sortent tous, à l'exception de* JACK *et de* ALGERNON.)*

JACK : Et toi, Algy, jeune gredin, tu dois quitter cette maison le plus rapidement possible. Je ne tolère pas que l'on vienne Bunburyser chez moi.

(Entre MERRIMAN.)

MERRIMAN : J'ai mis les bagages de M. Constant dans la chambre voisine de la vôtre, Monsieur. J'espère que cela convient.

JACK : Quoi ?

MERRIMAN : Les bagages de M. Constant, Monsieur. Je les ai défaits et mis dans la chambre voisine de la vôtre.

---

5. **so perfect a reconciliation** : rappel de la construction **so** + adjectif + groupe nominal singulier. Ex. : **so perfect a young lady**, *une si parfaite jeune femme.*
6. **premature** ['prematʃʊə].
7. **scoundrel** ['skaʊndrəl].

JACK : His luggage ?

MERRIMAN : Yes, sir. Three portmanteaus[1], a dressing-case, two hat-boxes, and a large luncheon[2]-basket.

ALGERNON : I am afraid I can't stay more than a week this time.

JACK : Merriman, order the dog-cart[3] at once. Mr Ernest has been suddenly called back to town.

MERRIMAN : Yes, sir. *(Goes back into the house.)*

ALGERNON : What a fearful[4] liar[5] you are, Jack. I have not been called back to town at all.

JACK : Yes, you have.

ALGERNON : I haven't heard any one call me[6].

JACK : Your duty as a gentleman calls you back.

ALGERNON : My duty as a gentleman has never interfered with my pleasures in the smallest degree.

JACK : I can quite understand that.

ALGERNON : Well, Cecily is a darling.

JACK : You are not to talk of Miss Cardew like that. I don't like it.

ALGERNON : Well, I don't like your clothes. You look perfectly ridiculous in them. Why on earth don't you go up and change ? It is perfectly childish to be in deep mourning for a man who is actually staying for a whole week with you in your house as a guest. I call it grotesque.

JACK : You are certainly not staying with me for a whole week as a guest or anything else. You have got to leave... by the four-five[7] train.

ALGERNON : I certainly won't leave you so long as you are in mourning. It would be most unfriendly. If I were in mourning you would stay with me, I suppose. I should think it very unkind if you didn't[8].

---

1. **portmanteaus** : grosses *valises* de cuir.

2. **luncheon** ['lʌntʃən] est plus cérémonieux que **lunch**, et peut parfois désigner un *déjeuner officiel*. Il suggère ici les parties de campagne et les déjeuners sur l'herbe.

3. **dog-cart** : petite voiture légère à deux roues dont les sièges sont disposés dos à dos. En français : *dog-cart* (!) ou *charrette anglaise*. Parmi tous les véhicules possibles **Wilde** (et **Jack**) choisissent le **dog-cart** qui littéralement signifie « *charrette à chien* » car c'est une manière de dire à Algernon en quelle estime on le tient.

4. **Δ fearful** : ici *affreux, effrayant*, mais peut aussi signifier *craintif*. **A fearful accident** : *un terrible accident* (= **frightening**) ; mais I

JACK : Ses bagages ?

MERRIMAN : Oui, monsieur. Trois valises, un nécessaire de toilette, deux boîtes à chapeaux et un grand panier à provisions.

ALGERNON : Je crains de ne pouvoir cette fois-ci rester plus d'une semaine.

JACK : Merriman, faites atteler le dog-cart. Monsieur Constant vient d'être subitement rappelé à Londres.

MERRIMAN : Bien, Monsieur. *(Il rentre dans la maison.)*

ALGERNON : Tu es un affreux menteur, Jack. On ne m'a pas rappelé à Londres.

JACK : Si, on t'a rappelé.

ALGERNON : Je n'ai entendu personne me rappeler.

JACK : Ton devoir d'homme d'honneur t'y rappelle.

ALGERNON : Mon devoir d'homme d'honneur n'a jamais fait le moindre obstacle à mes plaisirs.

JACK : Je peux parfaitement le comprendre.

ALGERNON : Eh bien, Cecily est un amour.

JACK : Tu n'as pas à parler ainsi de Miss Cardew. Cela me déplaît.

ALGERNON : Eh bien moi, ce sont tes habits qui me déplaisent. Tu as l'air parfaitement ridicule. Pourquoi ne vas-tu pas te changer ? C'est tout à fait puéril de porter le deuil de quelqu'un qui en réalité passe une semaine entière avec toi, qui est ton hôte, chez toi. Je trouve cela grotesque.

JACK : Tu ne vas certainement pas être mon hôte et passer la semaine avec moi ou que sais-je encore. Il faut que tu partes... par le train de quatre heures cinq.

ALGERNON : Je ne te quitterai pas tant que tu porteras le deuil. Si j'étais en deuil tu resterais auprès de moi, je suppose ? Sinon je trouverais que tu manques singulièrement de cœur.

---

was fearful of bothering them, *je craignais de les déranger.*
5. **liar** [laɪə].
6. △ **I haven't heard anyone call me**, construction d'un verbe de perception à l'actif. Ex. : **hear** + complément + infinitif sans **to**. Mais si le verbe est au passif : sujet + **be heard** + infinitif avec **to** : **he was heard to call Algernon**, *on l'a entendu appeler Algernon.*
7. **the four-five train** = the train of five past four.
8. **I should think it very unkind if you didn't**, m. à m. « *je trouverais (cela) très peu aimable si tu ne le faisais pas* ».

JACK : Well, will you go if I change[1] my clothes ?

ALGERNON : Yes, if you are not too long. I never saw anybody take so long to dress, and with such little result.

JACK : Well, at any rate, that is better than being always overdressed as you are.

ALGERNON : If I am occasionally a little overdressed[2], I make up for[3] it by being always immensely over-educated.

JACK : Your vanity is ridiculous, your conduct an outrage, and your presence in my garden utterly[4] absurd. However, you have got to catch the four-five[5], and I hope you will have a pleasant journey back to town. This Bunburying, as you call it, has not been a great success for you. *(Goes into the house.)*

ALGERNON : I think it has been a great success. I'm in love with Cecily, and that is everything. *(Enter CECILY at the back of the garden. She picks up the can and begins to water the flowers.)* But I must see her before I go, and make arrangements for another Bunbury. Ah, there she is.

CECILY : Oh, I merely came back to water the roses. I thought you were with Uncle Jack.

ALGERNON : He's gone to order the dog-cart for me.

CECILY : Oh, is he going to take you for a nice drive ?

ALGERNON : He's going to send me away.

CECILY : Then have we got to part[6] ?

ALGERNON : I am afraid so[7]. It's a very painful parting[8].

---

1. △ **I change my clothes** : change [tʃeɪndʒ] est transitif, contrairement à *changer*, dans ce sens en français.
2. **over-dressed... over-educated** : le jeu sur **over** n'a pas d'équivalent direct, ici, en français. **Wilde** se moque ici de certains aspects de la mentalité qui se développe dans les **public schools** ainsi que dans certaines universités.
3. **I make up for it** : to make up for, *compenser*. I must make up for lost time, *il faut que je rattrape le temps perdu*.
4. **utterly** = **completely** ; la traduction développe cet adverbe pour souligner la gradation de la phrase anglaise.
5. **the four-five** : cf. note 7 p. 105.

JACK : Bon, partiras-tu si je vais me changer ?

ALGERNON : Oui, si tu ne tardes pas trop. Je n'ai jamais vu quelqu'un prendre autant de temps pour s'habiller, pour un aussi piètre résultat.

JACK : Cela vaut du moins mieux que d'en faire toujours trop, comme toi.

ALGERNON : Si à l'occasion j'en fais un peu trop en matière de vêtement, je le compense constamment par l'immensité de mon éducation.

JACK : Ta vanité est ridicule, ta conduite scandaleuse, et ta présence dans mon jardin atteint le sommet de l'absurde. Quoi qu'il en soit, il faut que tu prennes le train de quatre heures cinq, et j'espère que tu feras bon voyage. Bunburyser, comme tu dis, cela ne t'a pas tellement réussi. *(Il rentre.)*

ALGERNON : Moi je crois que cela m'a très bien réussi. J'aime Cecily et rien d'autre ne compte. (CECILY *rentre, par le fond du jardin. Elle prend l'arrosoir et se met à arroser les fleurs.)* Mais il faut que je la voie avant de partir et que je prenne des dispositions pour trouver un autre Bunbury. Ah, la voici.

CECILY : Oh, je revenais simplement pour arroser les fleurs. Je croyais que vous étiez avec Oncle Jack.

ALGERNON : Il est allé faire atteler le dog-cart à mon intention.

CECILY : Il va vous emmener faire une jolie promenade ?

ALGERNON : Non, il va me renvoyer.

CECILY : Alors il va falloir nous quitter ?

ALGERNON : J'en ai bien peur. C'est une séparation pénible.

---

6. **to part** : *se séparer, se quitter.* **To part from a friend** (voir ci-dessous) *se séparer d'un ami* ; mais **to part with money** : *mettre la main au porte-monnaie.*
7. **I am afraid so** = I am afraid we have got to part.
8. **parting** : *employé comme nom.* Peut être aussi adjectif : **parting-cup**, *le coup de l'étrier* (la dernière tasse au moment de partir) ; **the parting-shot**, *la flèche du Parthe* (coup assené au moment où les adversaires se séparent).

CECILY : It is always painful to part from people whom one has known for a very brief space of time. The absence of old friends one can endure[1] with equanimity. But even a momentary[2] separation from any one to whom one has just been introduced is almost unbearable.

ALGERNON : Thank you.

(Enter MERRIMAN.)

MERRIMAN : The dog-cart is at the door, sir.

(ALGERNON *looks appealingly at* CECILY.)

CECILY : It can wait, Merriman... for... five minutes.

MERRIMAN : Yes, miss.

(Exit MERRIMAN.)

ALGERNON : I hope, Cecily, I shall not offend you if I state quite frankly and openly that you seem to me to be in every way the visible personification of absolute perfection.

CECILY : I think your frankness does you great credit, Ernest. If you will allow me[3], I will copy your remarks into my diary. *(Goes over to table and begins writing in diary.)*

ALGERNON : Do you really keep a diary ? I'd give anything to look at it. May I ?

CECILY : Oh no. *(Puts her hand over it.)* You see, it is simply a very young girl's record[4] of her own thoughts and impressions, and consequently meant for publication. When it appears in volume form I hope you will order a copy[5]. But pray, Ernest, don't stop. I delight in taking[6] down from dictation. I have reached[7] 'absolute perfection'. You can go on. I am quite ready for more[8].

---

1. **endure** [ɪn'djʊə].
2. **momentary** ['məʊməntərɪ].
3. **If you will allow me**. Littéralement : « *Si vous voulez bien m'autoriser.* » Expression très traditionnelle, rendue par une expression également traditionnelle en français.
4. **record** : *récit, registre, enregistrement, annales, chronique.*
5. **copy**, *exemplaire* (d'un livre).
6. **I delight in taking**, ne pas confondre la construction du verbe **to delight** avec celle de **to be delighted** : **I was delighted to meet**

108

CECILY : Il est toujours pénible de quitter ceux que l'on connaît depuis très peu de temps. L'absence de vieux amis, cela peut se supporter d'une âme égale. Mais être séparé, ne serait-ce qu'un instant, de ceux dont on vient de faire la connaissance, c'est presque insupportable.

ALGERNON : Merci.

(*Entre* MERRIMAN.)

MERRIMAN : La voiture est à la porte, Monsieur.

(ALGERNON *adresse un regard suppliant à* CECILY.)

CECILY : Elle peut attendre... cinq minutes, Merriman.
MERRIMAN : Bien, Miss.

(MERRIMAN *sort.*)

ALGERNON : J'espère ne pas vous offenser, Cecily, si je vous dis franchement et sans détour que vous êtes en tout point à mes yeux l'incarnation de la perfection absolue.
CECILY : Je crois que votre franchise est tout à votre honneur. Avec votre permission je vais copier vos remarques dans mon journal.

(*Elle va s'installer à la table et commence à écrire dans son journal.*)

ALGERNON : Vous tenez vraiment un journal ? Je donnerais n'importe quoi pour le regarder. Vous permettez ?
CECILY : Ah, non. (*Elle pose la main sur son journal.*) Vous voyez, ce n'est que la chronique, par une toute jeune fille, de ses pensées et de ses impressions, et par conséquent destinée à être publiée. Quand l'ouvrage paraîtra, j'espère que vous en commanderez un exemplaire. Mais je vous en prie, Constant, poursuivez. C'est un plaisir d'écrire sous votre dictée... J'en suis arrivée à « la perfection absolue ». Vous pouvez continuer. Je suis prête à en entendre davantage.

---

you, *ravi de vous avoir rencontré,* **I'm delighted with /at/ by your remarks,** *je suis ravi de vos remarques.* **Taking down = writing down.**

7. **I have reached absolute perfection** : peut se comprendre de deux façons : *j'en suis arrivée* (dans la dictée) à *"la perfection absolue"*, mais aussi, en tant que personne, *je suis absolument parfaite.*

8. **I am quite ready for more** : au double sens d'*en écrire plus* et surtout d'*en entendre davantage de la même veine.*

ALGERNON (somewhat taken aback) : Ahem ! Ahem !

CECILY : Oh, don't cough[1], Ernest. When one is dictating one should speak fluently and not cough. Besides, I don't know how to spell a cough[2]. (Writes as ALGERNON speaks.)

ALGERNON (speaking very rapidly) : Cecily, ever since I first looked upon your wonderful and incomparable[3] beauty, I have dared to love you wildly, passionately, devotedly, hopelessly.

CECILY : I don't think that you should tell me that you love me wildly, passionately, devotedly, hopelessly. Hopelessly doesn't seem to make much sense, does it ?

ALGERNON : Cecily !

(Enter MERRIMAN.)

MERRIMAN : The dog-cart is waiting, sir.

ALGERNON : Tell it to come round[4] next week, at the same hour.

MERRIMAN (looks at CECILY, who makes no sign) : Yes, sir.

(MERRIMAN retires.)

CECILY : Uncle Jack would be very much annoyed if he knew you were[5] staying on till next week, at the same hour.

ALGERNON : Oh, I don't care about Jack[6]. I don't care for anybody in the whole world but you. I love you, Cecily. You will marry me, won't you ?

CECILY : You silly boy ! Of course. Why, we have been engaged for the last three months.

---

1. **cough** [kɒf].

2. **how to spell a cough**, m. à m. « comment s'épelle une toux », mais également ici, plus vraisemblablement, je ne sais pas comment on transcrit la toux. La traduction s'efforce de ne pas privilégier un sens par rapport à l'autre.

3. **incomparable** [ɪnˈkɒpərəbl].

4. **come round** est pris ici dans le sens de revenir. Come round a par ailleurs des sens très différents : **we came round by the farm**, nous avons fait le détour par la ferme. **Come round and see us**, venez nous voir ; **they came round after examining the facts**, ils changèrent d'avis après avoir examiné les faits. **She is coming round**, elle se remet/elle revient à elle.

5. **if he knew you were**, l'anglais applique la règle de concordance des temps avec celui du verbe principal, ce que ne fait pas le français.

ALGERNON, *plutôt décontenancé* : Hem ! Hem !

CECILY : Oh, ne toussez pas, Constant. Lorsqu'on dicte il faut avoir une élocution fluide, et ne pas tousser. De plus je ne sais pas comment on écrit quelqu'un qui tousse. (*Elle écrit, tandis qu'*ALGERNON *parle.*)

ALGERNON, *parlant d'une manière très rapide* : Cecily, depuis que j'ai posé les yeux sur votre merveilleuse, votre incomparable beauté, j'ose vous aimer follement, passionnément, dévotieusement, désespérément.

CECILY : Vous ne devriez pas, je crois, me dire que vous m'aimez follement, passionnément, dévotieusement, désespérément. Désespérément, cela ne semble pas avoir grand sens, n'est-ce pas ?

ALGERNON : Cecily !

(*Entre* MERRIMAN.)

MERRIMAN : La voiture vous attend, Monsieur.

ALGERNON : Dites-lui de revenir dans huit jours, même heure.

MERRIMAN *regarde* CECILY, *qui ne bouge pas* : Bien, Monsieur.

(MERRIMAN *sort.*)

CECILY : Oncle Jack serait très fâché s'il savait que vous restez jusqu'à la semaine prochaine, même heure.

ALGERNON : Oh, je me moque bien de Jack. Je me moque bien de tout le monde, sauf de vous. Je vous aime, Cecily. Vous voulez bien m'épouser, dites ?

CECILY : Que vous êtes bête ! Bien sûr. Cela fait trois mois que nous sommes fiancés.

---

6. **I don't care about Jack. I don't care for anybody** : Wilde joue sur une légère différence de sens entre **care about** et **care for**. To **care about**, *s'intéresser à*, et *être attaché à* ; **money is all he cares about**, *il n'y a que l'argent qui compte pour lui* ; **I don't care !** *je m'en fiche* ; **what do I care ?** *qu'est-ce que cela peut me faire ?* To **care for**, *aimer, apprécier* ; **would you care for a cup of tea ?** *est-ce que cela vous dirait de prendre un thé ?* Également *s'occuper, prendre soin de* ; **to care for an invalid**, *s'occuper d'un malade*.

ALGERNON : For the last three months ?

CECILY : Yes, it will be exactly three months[1] on Thursday.

ALGERNON : But how did we become engaged ?

CECILY : Well, ever since dear Uncle Jack first confessed to us that he had a younger brother who was very wicked and bad, you of course have formed the chief topic[2] of conversation between myself and Miss Prism. And of course a man who is much talked about is always very attractive. One feels there must be something in him, after all. I daresay[3] it was foolish of me, but I fell in love with you, Ernest.

ALGERNON : Darling. And when was the engagement actually settled ?

CECILY : On the 14th of February last. Worn out by your entire ignorance[4] of my existence, I determined to end the matter one way or the other, and after a long struggle with myself I accepted you under this dear old tree here. The next day I bought this little ring in your name, and this is the little bangle[5] with the true lover's knot[6] I promised you always to wear.

ALGERNON : Did I give you this ? It's very pretty, isn't it ?

CECILY : Yes, you've wonderfully good taste, Ernest. It's the excuse I've always given for your leading such a bad life. And this is the box in which I keep all your dear letters. (*Kneels at table, opens box, and produces letters tied up with blue ribbon.*)

ALGERNON : My letters ! But, my own sweet Cecily, I have never written you any letters.

---

1. Δ **it will be** + indication de durée : à partir de la phrase **We have been engaged for three months**, on peut dire **It is three months since we became engaged**. Cette tournure met davantage l'accent sur la durée.

2. **topic** : *sujet* de discussion, *thème*. Notez le sens de **topical** : *d'actualité* ; **a topical book**, *un livre d'actualité* ; **topicality**, *l'actualité* (d'un sujet).

3. Δ **daresay** : s'emploie à la première personne **I daresay** pour exprimer une quasi-certitude, une hypothèse vraisemblable. Peut également s'entendre dans un sens ironique : **He says he is sorry - I dare say !** *Il dit qu'il regrette (qu'il est navré) - Tu parles !* S'écrit plus généralement **I dare say** aujourd'hui.

4. ▲ **ignorance** : cf. **to ignore**, *ne pas connaître* ou *ne pas tenir compte de*.

ALGERNON : Trois mois ?

CECILY : Oui, cela fera exactement trois mois jeudi.

ALGERNON : Et comment ces fiançailles se sont-elles faites ?

CECILY : Eh bien, dès que mon cher oncle Jack nous a avoué qu'il avait un jeune frère qui était un très mauvais sujet, vous êtes naturellement devenu le principal sujet de mes conversations avec Miss Prism. Et, naturellement, un homme dont on parle beaucoup est toujours très séduisant. On sent qu'il doit bien avoir quelque chose, après tout. C'était folie de ma part, probablement, mais je me suis prise d'amour pour vous, Constant.

ALGERNON : Ma chérie. Et à quelle date nos fiançailles furent-elles décidées ?

CECILY : Le 14 février dernier. Lasse de voir que vous ignoriez totalement mon existence, j'ai pris la décision de mettre un terme à cette affaire d'une manière ou d'une autre, et après avoir longuement lutté avec moi-même, je vous ai accepté, sous ce bon vieil arbre, ici même. Le lendemain j'ai acheté cette petite bague, en votre nom, et ce petit bracelet avec ces lacs d'amour que je vous ai promis de porter toujours.

ALGERNON : C'est moi qui vous ai donné ceci ? C'est très joli, n'est-ce pas ?

CECILY : Oui, vous avez un goût merveilleux, Constant. C'est pour cela que j'ai toujours excusé la vie détestable que vous menez. Et voici la boîte dans laquelle je garde toutes vos chères lettres. *(Elle s'agenouille près de la table, ouvre la boîte et en sort les lettres liées par un ruban.)*

ALGERNON : Mes lettres ! Mais, ma douce Cecily, je ne vous ai jamais écrit.

---

5. **bangle** : sorte de *petit bracelet*.
6. **true lover's knot** : *bijou en forme d'entrelacs* qui symbolise la fidélité de l'amour.

CECILY : You need hardly remind me of that, Ernest. I remember only too well that I was forced to write your letters for you. I wrote always three times a week, and sometimes oftener[1].

ALGERNON : Oh, do let me read them, Cecily ?

CECILY : Oh, I couldn't possibly. They would make you far too conceited[2]. *(Replaces box.)* The three you wrote me after I had broken off the engagement are so beautiful, and so badly spelled, that even now I can hardly read them without crying a little.

ALGERNON : But was our engagement ever broken off ?

CECILY : Of course it was. On the 22nd of last March. You can see the entry[3] if you like. *(Shows diary.)* 'Today I broke off my engagement with Ernest. I feel it is better to do so. The weather still continues charming[4].'

ALGERNON : But why on earth did you break it off ? What had I done ? I had done nothing at all. Cecily, I am very much hurt indeed to hear you broke it off. Particularly when the weather was so charming.

CECILY : It would hardly have been a really serious engagement if it hadn't been broken off at least once. But I forgave[5] you before the week was out[6].

ALGERNON *(crossing to her, and kneeling)* : What a perfect angel[7] you are, Cecily.

CECILY : You dear romantic boy[8]. *(He kisses her, she puts her fingers through his hair.)* I hope your hair curls naturally, does it[9] ?

ALGERNON : Yes, darling, with a little help from others.

CECILY : I am so glad.

ALGERNON : You'll never break off our engagement again, Cecily ?

---

1. **oftener**, aujourd'hui **more often**.

2. **conceited** [kən'siːtɪd], de **conceit**, *vanité, prétention.* **Conceit** signifie également, dans la langue littéraire, *trait d'esprit.*

3. **entry** : ici *mention* (dans le journal de Cecily).

4. **continues charming** : construction de **continue** + adjectif, dans le sens de **remain**, *demeurer.* (**Charming** est en effet adjectif ici).

5. **forgave** [fə'geɪv].

6. **before the week was out :** m. à m. « *je vous ai pardonné avant que la semaine fût passée* », d'où la traduction adoptée. Notez le sens de **out** dans les expressions **before the year/the month/the week/was out**.

7. **angel** ['eɪndʒəl].

114

CECILY : Il n'est guère nécessaire de me le rappeler, Constant. Je ne m'en souviens que trop, j'ai été contrainte d'écrire vos lettres à votre place. J'écrivais toujours trois fois par semaine, et parfois plus.

ALGERNON : Oh, je vous en prie, laissez-moi les lire.

CECILY : Non, c'est impossible. Cela vous rendrait beaucoup trop vaniteux. *(Elle remet la boîte à sa place.)* Les trois lettres que vous m'avez écrites quand j'ai rompu nos fiançailles sont si belles et leur orthographe si déplorable qu'aujourd'hui encore j'ai du mal à les lire sans verser quelques larmes.

ALGERNON : Mais nos fiançailles ont vraiment été rompues ?

CECILY : Naturellement. Le 22 mars. Je l'ai marqué dans mon journal ; vous pouvez le constater si vous voulez. *(Elle lui montre le journal.)* « Aujourd'hui j'ai rompu mes fiançailles avec Constant. Je crois que c'est la meilleure solution. Il continue de faire un temps délicieux. »

ALGERNON : Mais pourquoi diable avez-vous rompu ? Qu'est-ce que j'avais fait ? Je n'avais rien fait du tout. Cecily, je suis profondément blessé, vraiment, d'apprendre que vous avez rompu. Surtout un jour où il faisait un temps si délicieux.

CECILY : Nos fiançailles n'auraient guère été sérieuses si nous n'avions pas au moins rompu une fois. Mais la semaine n'était pas achevée que je vous avais déjà pardonné.

ALGERNON *va vers elle et se met à genoux* : Cecily, vous êtes un ange de perfection.

CECILY : Mon cher amour romantique ! *(Il l'embrasse ; elle lui passe la main dans les cheveux.)* J'espère que vous frisez naturellement, n'est-ce pas ?

ALGERNON : Mais oui, ma chérie, quand on m'y aide un peu.

CECILY : Je suis si contente.

ALGERNON : Cecily, vous ne romprez plus jamais, maintenant ?

---

8. **you dear romantic boy** doit nécessairement être adapté en français, à partir des deux termes importants **dear** et **romantic**.
9. **does it**, et non **doesn't it**, car la phrase précédente n'est pas une véritable affirmation, mais plutôt une question déguisée par **I hope**.

CECILY : I don't think I could break it off now that I have actually[1] met you. Besides, of course, there is the question of your name[2].

ALGERNON : Yes, of course. *(Nervously.)*

CECILY : You must not laugh at me, darling, but it had always been a girlish dream of mine to love some one whose name was[3] Ernest. (ALGERNON *rises,* CECILY *also.)* There is something in that name that seems to inspire absolute confidence. I pity any poor married woman whose husband is not called Ernest.

ALGERNON : But, my dear child, do you mean to say you could not love me if I had some other name ?

CECILY : But what name ?

ALGERNON : Oh, any name you like — Algernon for instance...

CECILY : But I don't like the name of Algernon.

ALGERNON : Well, my own dear, sweet, loving little darling, I really can't see why you should object to the name of Algernon. It is not at all a bad name. In fact, it is rather an aristocratic name. Half of the chaps who get into the Bankruptcy Court[4] are called Algernon. But seriously, Cecily... *(moving to her)* if my name was Algy, couldn't you love me ?

CECILY *(rising)* : I might respect you, Ernest, I might admire your character, but I fear that I should not be able to give you my undivided attention.

ALGERNON : Ahem ! Cecily ! *(Picking up hat.)* Your Rector here is, I suppose, thoroughly[5] experienced in the practice of all the rites and ceremonials[6] of the Church ?

CECILY : Oh, yes. Dr Chasuble is a most learned[7] man. He has never written a single book, so you can imagine how much he knows.

---

1. ▲ **actually**, *réellement, en fait.*
2. **the question of your name** : la même scène a eu lieu entre **Jack** et **Gwendolen** (p. 44-46).
3. ▲ **was** : s'explique à la fois par la concordance du temps avec le verbe principal (**had been**) et par l'emploi du prétérit au lieu du conditionnel (**would be**) dans une proposition relative (introduite ici par le pronom relatif **whose**).
4. **Bankruptcy Court** : Chambre du tribunal de commerce devant laquelle comparaissent ceux qui ont fait faillite. Le rapprochement apparemment incongru fait ici entre faillite et aristocratie est un des traits de l'humour satirique de Wilde.

116

CECILY : Je ne crois pas que cela me soit possible, maintenant que de fait je vous ai rencontré. Et puis, bien sûr, il y a votre nom.

ALGERNON, *inquiet* : Oui, évidemment.

CECILY : Il ne faut pas vous moquer de moi, mon chéri, mais mon rêve de petite fille a toujours été d'aimer quelqu'un qui s'appellerait Constant. (ALGERNON *se relève, de même que* CECILY.) Il y a quelque chose dans ce nom qui semble inspirer une confiance absolue. Je plains toute femme dont le mari ne s'appelle pas Constant.

ALGERNON : Mais, ma chère petite, voulez-vous dire que vous ne m'aimeriez pas si je m'appelais autrement ?

CECILY : Si vous vous appeliez comment ?

ALGERNON : Oh, le nom qui vous plaira — Algernon, par exemple...

CECILY : Mais je n'aime pas du tout ce nom d'Algernon.

ALGERNON : Eh bien, ma chère, ma douce, mon aimante petite chérie, je ne vois vraiment pas pourquoi vous feriez des objections à ce nom d'Algernon ! Ce n'est pas un vilain nom. En fait c'est un nom assez aristocratique. La moitié de ceux qui sont poursuivis pour faillite s'appellent Algernon. Non, sérieusement, Cecily... *(il s'approche d'elle)* si je m'appelais Algy, vous ne pourriez pas m'aimer ?

CECILY : Je vous respecterais peut-être, Constant, j'admirerais peut-être votre personnalité, mais je crains bien que je ne sois pas capable de me consacrer à vous sans partage.

ALGERNON : Hem ! Cecily ! *(Il prend son chapeau.)* Votre recteur est, je le suppose, parfaitement au fait de tous les rites et de toutes les cérémonies de l'Église ?

CECILY : Certainement. Le Recteur Chasuble est un homme très éminent. Il n'a jamais écrit un seul ouvrage ; vous pouvez donc imaginer quelle est l'étendue de sa science.

---

5. **thoroughly** [ˈθʌrəlɪ].

6. **ceremonials** [ˌserɪˈməʊnɪəlz].

7. **learned**, adjectif ici, d'où prononciation [ˈlɜːnɪd], *savant, érudit*. Dans les expressions **my learned friend, my learned colleague**, correspond à *éminent*.

ALGERNON : I must see him at once on a most important christening — I mean on most important business.

CECILY : Oh !

ALGERNON : I shan't be away more than half an hour.

CECILY : Considering that we have been engaged since February the 14th, and that I only met[1] you today for the first time, I think it is rather hard that you should leave me for so long a period as half an hour. Couldn't you make it twenty minutes ?

ALGERNON : I'll be back in no time. (*Kisses her and rushes down the garden.*)

CECILY : What an impetuous boy he is ! I like his hair so much. I must enter his proposal[2] in my diary.

(*Enter* MERRIMAN.)

MERRIMAN : A Miss Fairfax has just called[3] to see Mr Worthing. On very important business, Miss Fairfax states.

CECILY : Isn't Mr Worthing in his library[4] ?

MERRIMAN : Mr Worthing went over in the direction of the Rectory some time ago.

CECILY : Pray ask the lady to come out here : Mr Worthing is sure[5] to be back soon. And you can bring tea.

MERRIMAN : Yes, Miss.

(*Goes out.*)

CECILY : Miss Fairfax ! I suppose one of the many good elderly women who are associated with Uncle Jack in some of his philanthropic work in London. I don't quite like women who are interested in philanthropic work. I think it is so forward[6] of them.

---

1. △ **met** : il serait apparemment plus normal d'avoir ici le present-perfect **have met**, puisque le temps est défini par **today**, et n'est pas en principe terminé. Cette règle n'est pas absolue, car le locuteur reste en dernière analyse maître de la manière dont il structure le temps et repère les événements par rapport au moment où il parle. Il faut noter ici une tendance des Irlandais et des Américains à privilégier l'emploi du prétérit dans ce cas.

2. **proposal** [prə'pəʊzl].

3. **to call**, ici *se présenter.*

4. △ **library** : *bibliothèque ; une librairie,* **a bookshop ;** *un libraire,* **a bookseller.**

ALGERNON : Il faut que je le voie immédiatement pour un baptême extrêmement important — je veux dire pour une affaire extrêmement importante.

CECILY : Oh !

ALGERNON : Je ne m'absenterai guère plus d'une demi-heure.

CECILY : Étant donné que nous sommes fiancés depuis le 14 février et que c'est seulement aujourd'hui que je vous ai rencontré pour la première fois, je trouve assez pénible que vous me laissiez seule pendant une longue demi-heure. Ne pourriez-vous réduire votre absence à vingt minutes ?

ALGERNON : Je reviens tout de suite. *(Il l'embrasse et se précipite vers le fond du jardin.)*

CECILY : Quelle impétuosité ! J'aime tellement ses cheveux. Il faut que je mette sa demande en mariage dans mon journal.

(Entre MERRIMAN.*)*

MERRIMAN : Une certaine Miss Fairfax vient de se présenter pour voir M. Worthing. Pour une affaire très importante, indique Miss Fairfax.

CECILY : M. Worthing n'est pas dans sa bibliothèque ?

MERRIMAN : M. Worthing est parti il y a quelque temps en direction du presbytère.

CECILY : Priez cette dame de venir ici, voulez-vous ? M. Worthing ne va certainement pas tarder à rentrer. Et puis vous pouvez apporter le thé.

MERRIMAN : Bien, Miss.

(Il sort.)

CECILY : Miss Fairfax ! Sans doute une de ces braves dames entre deux âges qu'oncle Jack associe à l'une de ses œuvres philanthropiques à Londres. Je n'aime pas tellement ces femmes qui s'intéressent aux œuvres philanthropiques. Je trouve cela bien effronté de leur part.

---

5. **sure** : comme **certain**, peut renvoyer, et c'est le cas ici, à la certitude de celui qui parle, et non à celle du sujet de la phrase (**M. Worthing**).

6. **Δ forward** : on rencontre généralement ce terme en tant qu'adverbe signifiant *en avant*. Mais il est aussi adjectif signifiant *avancé, en avance* (**I am forward with my work**, *je suis en avance dans mon travail*), *précoce* (**a forward child**) et ici *insolent, effronté*, d'où le m. à m. « *je pense que c'est tellement effronté de leur part* ». Il est également verbe = *expédier* : **please forward**, *faire suivre s.v.p.*

(Enter MERRIMAN.)

MERRIMAN : Miss Fairfax.

(Enter GWENDOLEN. *Exit* MERRIMAN.)

CECILY *(advancing to meet her)* : Pray let me introduce myself to you. My name is Cecily Cardew.

GWENDOLEN : Cecily Cardew ? *(Moving to her and shaking hands.)* What a very sweet name ! Something tells me that we are going to be great friends. I like you already more than I can say. My first impressions of people are never wrong.

CECILY : How nice of you to like me so much after we have known each other such a comparatively short time. Pray sit down.

GWENDOLEN *(still standing up)* : I may call you Cecily, may I not ?

CECILY : With pleasure !

GWENDOLEN : And you will always call me Gwendolen, won't you ?

CECILY : If you wish.

GWENDOLEN : Then that is all quite settled, is it not ?

CECILY : I hope so. *(A pause. They both sit down together.)*

GWENDOLEN : Perhaps this might be a favourable opportunity for my mentioning[1] who I am. My father is Lord Bracknell. You have never heard[2] of papa, I suppose ?

CECILY : I don't think so.

GWENDOLEN : Outside the family circle, papa, I am glad to say, is entirely unknown. I think that is quite as it should be. The home seems to me to be the proper sphere for the man[3]. And certainly once a man begins to neglect his domestic duties he becomes painfully effeminate, does he not ? And I don't like that. It makes men so very attractive. Cecily, mamma, whose views on education are remarkably strict, has brought me up to be extremely short-sighted ; it is part of her system. So do you mind my looking[4] at you through my glasses ?

CECILY : Oh ! not at all, Gwendolen. I am very fond of being looked at.

---

1. **my mentioning**, m. à m. « *mon fait de mentionner* » (cf note 4).
2. **heard of** ; to hear of, *entendre parler de* mais **to hear from**, *avoir des nouvelles de*.
3. **the man** = the man of the married couple. Si l'on parlait de l'homme en général on dirait **for man**.

(Entre MERRIMAN.*)*

MERRIMAN : Miss Fairfax.

(Entre GWENDOLEN. MERRIMAN *sort.)*

CECILY, *s'avançant à sa rencontre* : Permettez-moi de me présenter : je suis Cecily Cardew.

GWENDOLEN : Cecily Cardew ? *(Elle s'avance vers elle et lui serre la main.)* Quel nom charmant ! Quelque chose me dit que nous allons devenir de grandes amies. J'ai déjà plus d'affection pour vous que je ne puis le dire. Mes premières impressions sur les gens ne me trompent jamais.

CECILY : Que c'est aimable de votre part d'avoir une telle affection pour moi alors que nous ne nous connaissons que depuis relativement si peu de temps. Je vous en prie, asseyez-vous.

GWENDOLEN, *qui reste debout* : Je puis vous appeler Cecily, n'est-ce pas ?

CECILY : J'en serais ravie.

GWENDOLEN : Et vous, vous ne m'appellerez plus que Gwendolen, n'est-ce pas ?

CECILY : Si vous voulez.

GWENDOLEN : Alors, voilà qui est décidé, n'est-ce pas ?

CECILY : Je l'espère. *(Un silence ; elle s'asseyent toutes deux.)*

GWENDOLEN : Ce serait peut-être le moment de vous dire qui je suis. Je suis la fille de Lord Bracknell. Je suppose que vous n'avez jamais entendu parler de papa ?

CECILY : Je ne crois pas.

GWENDOLEN : Hors du cercle de la famille, papa, je suis heureuse de le dire, est totalement inconnu, et je pense que c'est tout à fait normal... Il me semble que le foyer familial est le domaine propre de l'homme ; et lorsqu'un homme se met à négliger ses devoirs domestiques il est certain, n'est-ce pas, qu'il devient odieusement efféminé. Et je n'aime pas cela : cela rend les hommes si séduisants. Cecily, avec sa conception très stricte de l'éducation, maman a fait de moi une personne extrêmement myope ; cela fait partie de son système. Voyez-vous un inconvénient à ce que je prenne mes verres pour vous regarder ?

CECILY : Pas du tout, Gwendolen. J'adore que l'on me regarde.

---

4. **do you mind my looking at...** *voyez-vous un inconvénient à ce que je... to mind* + *–ing,* ici la forme en *–ing (nom verbal)* est rendue par un subjonctif en français.

GWENDOLEN *(after examining* CECILY *carefully through a lorgnette[1].) :* You are here on a short visit, I suppose.

CECILY : Oh no ! I live here.

GWENDOLEN *(severely) :* Really ? Your mother, no doubt, or some female[2] relative of advanced years, resides here also ?

CECILY : Oh no ! I have no mother, nor, in fact, any relations.

GWENDOLEN : Indeed ?

CECILY : My dear guardian, with the assistance of Miss Prism, has the arduous task of looking after me.

GWENDOLEN : Your guardian ?

CECILY : Yes, I am Mr Worthing's ward.

GWENDOLEN : Oh ! It is strange he never mentioned to me that he had a ward. How secretive of him ! He grows more interesting hourly[3]. I am not sure, however, that the news inspires me feelings of unmixed delight. *(Rising and going to her.)* I am very fond of you, Cecily ; I have liked you ever since I met you ! But I am bound to state[4] that now that I know that you are Mr Worthing's ward, I cannot help expressing a wish you were[5] — well, just a little older than you seem to be — and not quite so very alluring[6] in appearance. In fact, if I may speak candidly...

CECILY : Pray do ! I think that whenever one has anything unpleasant to say, one should always be quite candid.

GWENDOLEN : Well, to speak with perfect candour[7], Cecily, I wish that you were fully forty-two, and more than usually plain[8] for your age. Ernest has a strong upright[9] nature.

---

1. **lorgnette** : *face-à-main. Lorgnette,* **spyglass.** *Regarder par le petit bout de la lorgnette,* **to get things out of proportion.**

2. Δ **female** n'a rien de désobligeant en anglais et permet de préciser, en cas d'ambiguïté, qu'il s'agit d'une personne de sexe féminin, lorsqu'il est employé comme adjectif : **the female students,** *les étudiantes.* Mais en employant ce terme au lieu d'une tournure avec **lady,** par exemple, **Gwendolen** tient à marquer la distance qui la place, croit-elle, au-dessus de **Cecily.**

3. Δ **hourly** : notez l'absence de **h** expiré dans la prononciation [ˈaʊəlɪ] comme dans **hour** ; **hourly** peut être adjectif : **hourly rate,** *taux horaire,* **hourly fear,** *crainte constante* (= *de toute heure*) ou adverbe = *d'heure en heure* — ici — ou encore *une fois par heure, toutes les heures, à l'heure* (**hourly paid workers,** *ouvriers payés à l'heure*).

GWENDOLEN, *après avoir soigneusement dévisagé* CECILY, *à travers son face-à-main* : Vous êtes ici pour une courte visite, je suppose ?

CECILY : Mais non ; j'habite ici.

GWENDOLEN, *d'un ton sévère* : Vraiment ? Votre mère, sans doute, ou quelque parente de grand âge, réside également ici ?

CECILY : Non, je n'ai pas de mère, ni de parents, en fait.

GWENDOLEN : Est-ce possible ?

CECILY : C'est mon cher tuteur qui, avec le concours de Miss Prism, assume la difficile tâche de s'occuper de moi.

GWENDOLEN : Votre tuteur ?

CECILY : Oui, je suis la pupille de M. Worthing.

GWENDOLEN : Ah, bon ! Il est curieux qu'il ne m'ait jamais parlé de sa pupille ; quel goût du secret ! Il devient d'heure en heure de plus en plus intéressant. Je ne suis pas sûre, cependant, que cette révélation ne m'inspire qu'un sentiment de joie sans mélange. (*Elle se lève et s'avance vers* CECILY.) J'ai beaucoup d'affection pour vous, Cecily, depuis que je vous ai rencontrée ! Mais je me sens obligée de le dire, maintenant que je sais que vous êtes la pupille de M. Worthing, je ne peux m'empêcher de regretter que vous ne soyez pas... eh bien, juste un peu plus vieille que vous ne le paraissez — et d'un physique moins séduisant. En fait, si je puis parler en toute franchise...

CECILY : Je vous en prie ! Je crois que lorsqu'on a quelque chose de désagréable à dire il faut toujours parler franchement.

GWENDOLEN : Eh bien, pour être parfaitement franche avec vous, Cecily, je regrette que vous n'ayez pas quarante-deux ans bien comptés et que vous ne soyez pas plus laide qu'on ne l'est d'ordinaire à cet âge. Constant est d'un naturel probe et énergique.

---

4. **to state**, *déclarer*.

5. **a wish you were** : le substantif **wish**, comme le verbe, peut se construire avec un irréel du présent. On aurait pu, du reste, avoir ici : **I cannot help wishing you were**. Voir plus bas **I wish you were forty-two**.

6. **alluring** [ə'ljuərɪŋ].

7. **candour** ['kændə].

8. **plain** [plein].

9. **upright**, au sens physique, *droit, vertical*, **an upright piano**, *un piano droit*. Au sens moral (ici), *honnête, probe, droit*.

He is the very soul[1] of truth and honour[2]. Disloyalty would be as impossible to him as deception[3]. But even men of the noblest possible moral character are extremely susceptible to the influence of the physical charms of others. Modern[4], no less than Ancient History supplies us with many most painful examples of what I refer to. If it were not so, indeed, History would be quite unreadable.

CECILY : I beg your pardon, Gwendolen, did you say Ernest ?

GWENDOLEN : Yes.

CECILY : Oh, but it is not Mr Ernest Worthing who is my guardian. It is his brother — his elder brother.

GWENDOLEN *(sitting down again)* : Ernest never mentioned to me that he had a brother.

CECILY : I am sorry to say they have not been on good terms for[5] a long time.

GWENDOLEN : Ah ! that accounts for[6] it. And now that I think of it I have never heard any man mention his brother. The subject seems distasteful to most men. Cecily, you have lifted a load from my mind. I was growing almost anxious. It would have been terrible if any cloud had come across a friendship like ours, would it not ? Of course you are quite, quite sure that it is not Mr Ernest Worthing who is your guardian ?

CECILY : Quite sure. *(A pause.)* In fact, I am going to be his[7].

GWENDOLEN *(inquiringly)* : I beg your pardon ?

CECILY *(rather shy and confidingly)* : Dearest Gwendolen, there is no reason why I should make a secret of it to you. Our little county newspaper is sure to[8] chronicle the fact next week. Mr Ernest Worthing and I are engaged to be married.

---

1. **soul** [seʊl], *âme* ; **he is the very soul of truth and honour**, m. à m. : « *il est l'âme même de la vérité et de l'honneur* ».
2. **honour** ['ɒnə]. Le h n'est pas prononcé.
3. **deception** [dɪ'sepʃən].
4. **Modern... History** : contrairement à ce qui se passe en français, le premier adjectif n'est pas nécessairement suivi du nom sur lequel il porte : **young, and, to a large extent, older actors...** *les jeunes acteurs, et dans une large mesure les acteurs plus âgés.*

Il est la vérité et l'honnêteté mêmes ; il lui serait impossible d'être déloyal ou hypocrite ; mais même les caractères les plus nobles sont extrêmement sensibles aux influences des charmes physiques d'autrui. L'Histoire Moderne, tout comme l'Histoire Ancienne, nous fournit maints douloureux exemples de ce dont je vous parle. S'il n'en était pas ainsi, du reste, l'Histoire serait parfaitement illisible.

CECILY : Je vous demande pardon, Gwendolen, vous avez dit Constant ?

GWENDOLEN : Oui.

CECILY : Ah, mais ce n'est pas M. Constant Worthing mon tuteur ; c'est son frère, son frère aîné.

GWENDOLEN *se rassied* : Constant ne m'a jamais dit qu'il avait un frère.

CECILY : Je suis désolée de vous dire qu'ils sont brouillés depuis très longtemps.

GWENDOLEN : Ah, voilà l'explication. Et maintenant que j'y pense, je n'ai jamais entendu un homme me parler de son frère. Pour la plupart des hommes, c'est un sujet déplaisant. Cecily, vous m'avez soulagé l'esprit d'un grand poids. Si un nuage avait traversé une amitié comme la nôtre, cela aurait été terrible, n'est-ce pas ? Naturellement, vous êtes tout à fait, tout à fait certaine que ce n'est pas M. Constant Worthing votre tuteur ?

CECILY : Tout à fait certaine. *(Un silence.)* En fait c'est moi qui vais devenir le sien.

GWENDOLEN, *intriguée* : Je vous demande pardon ?

CECILY, *sur un ton de confidence assez intimidée* : Très chère Gwendolen, il n'y a aucune raison pour que j'en fasse un secret pour vous. Notre petit journal local ne manquera pas de rapporter l'événement la semaine prochaine. M. Constant Worthing et moi sommes fiancés et nous allons nous marier.

---

5. **for a long time**, *depuis très longtemps* ; rappelez-vous que dans ce cas le **present perfect** est rendu par un présent simple en français.

6. **accounts for it**, m. à m. « *rend compte de, explique* ».

7. **I am going to be his** : peut être entendu comme **I am going to be his guardian**, mais également sous-entendu comme *je vais être sienne* (**his** = pronom possessif dont le genre est en anglais, comme pour l'adjectif possessif, celui du « possesseur »).

8. **is sure to** = **will certainly**.

GWENDOLEN *(quite politely, rising)* : My darling Cecily, I think there must[1] be some slight error. Mr Ernest Worthing is engaged to me. The announcement[2] will appear in the *Morning Post*[3] on Saturday at the latest.

CECILY *(very politely, rising)* : I am afraid you must be under some misconception[4]. Ernest proposed to me exactly ten minutes ago. *(Shows diary.)*

GWENDOLEN *(examines diary through her lorgnette carefully)* : It is very curious, for he asked me to be his wife yesterday afternoon at five thirty. If you would care to verify the incident, pray do so. *(Produces diary of her own.)* I never travel without my diary. One should always have something sensational to read in the train[5]. I am so sorry, dear Cecily, if it is any disappointment to you, but I am afraid I have the prior claim[6].

CECILY : It would distress me more than I can tell you, dear Gwendolen, if it caused you any mental or physical anguish, but I feel bound to point out that since Ernest proposed to you he clearly has changed his mind.

GWENDOLEN *(meditatively)* : If the poor fellow has been entrapped[7] into any foolish promise I shall consider it my duty to rescue him at once, and with a firm hand.

CECILY *(thoughtfully and sadly)* : Whatever unfortunate entanglement[8] my dear boy may have got into, I will never reproach him with it after we are married[9].

---

1. **must**, there must be some slight error, m. à m. « *il doit y avoir une légère erreur* ».

2. **announcement** [ə'naʊnsmənt].

3. **Morning Post** : journal de Londres avec un important carnet mondain, dont la réputation, à l'époque, approchait celle du *Times*.

4. **misconception** [mɪskən'sepʃən].

5. Δ **in the train** : on dit généralement **to travel on the train** ; ici **in** indique que **Gwendolen** considère le train comme un simple lieu, comme elle dirait **in the carriage**.

6. Δ **claim**, ici *droit, titre*, **the claim to the throne**, *droit au trône* d'où **claimant**, *prétendant* ; **to lay claim to**, *avoir des prétentions à*. **There are many claims on my time**, *je suis très pris* ; **there are many claims on my purse**, *je suis très sollicité* (financièrement) : ces deux exemples de **claim** (avec **on**) illustrent le sens, un peu différent de *demande*.

GWENDOLEN, *se levant, très courtoisement* : Chère Cecily, je crois
qu'il s'agit là d'une légère erreur. C'est avec moi que M. Constant Worthing va se marier. Le faire-part sera publié par le *Morning Post* samedi au plus tard.

CECILY, *se levant, très courtoisement* : Je crains que vous ne vous
abusiez. Constant m'a demandé ma main il y a exactement dix
minutes. *(Elle lui montre son journal.)*

GWENDOLEN, *avec son face-à-main examine soigneusement le
journal* : C'est très curieux, car il m'a demandé de l'épouser
hier après-midi à cinq heures trente. Si vous tenez à vous assurer de la réalité de cet incident, je vous en prie. *(Elle sort son
propre journal.)* Je ne voyage jamais sans mon journal. Il faut
toujours avoir quelque chose de palpitant à lire dans le train.
Je suis tout à fait désolée, chère Cecily, si vous en éprouvez
de la déception, mais j'ai bien l'impression que j'ai la priorité.

CECILY : Cela m'affligerait plus que je ne puis le dire, chère
Gwendolen, de vous causer le moindre tourment, physique ou
mental, mais je me sens tenue de vous faire observer que Constant, depuis qu'il vous a demandée en mariage, a clairement
changé d'avis.

GWENDOLEN, *méditative* : Si ce pauvre garçon, pris au piège, a dû
s'engager par une sotte promesse, je considérerai qu'il est de
mon devoir de l'en délivrer immédiatement et d'une main
ferme.

CECILY, *tristement pensive* : Quelle que soit la malheureuse intrigue dans laquelle ce pauvre garçon s'est égaré, jamais quand
nous serons mariés je ne lui en ferai le reproche.

---

7. △ **entrapped into** : cette construction, très typique des verbes
à proposition, exprime 1) que le sujet a été amené à (**into** = changement de lieu ou d'état) faire une sotte promesse, et 2) le moyen
par lequel il y a été contraint (**entrapped**). Autre exemple : **they
blackmailed him into paying the ranson**, *ils le forcèrent, par le
chantage, à payer la rançon*. Même construction avec **out of** : **they
threatened him out of his plan**, *ils lui firent renoncer à son plan
par la menace*.

8. **entanglement** : *enchevêtrement*. **His entanglement with the
police**, *son affaire avec la police*.

9. **after we are married**, m. à m. « *après que nous sommes
mariés* ».

GWENDOLEN : Do you allude to me, Miss Cardew, as an entanglement ? You are presumptuous. On an occasion of this kind it becomes more than a moral duty to speak one's mind[1]. It becomes a pleasure.

CECILY : Do you suggest, Miss Fairfax, that I entrapped Ernest into an engagement ? How dare you[2] ? This is no time for wearing the shallow[3] mask of manners. When I see a spade[4] I call it a spade.

GWENDOLEN *(satirically)* : I am glad to say that I have never seen a spade. It is obvious that our social spheres[5] have been widely different.

(Enter MERRIMAN, *followed by the footman. He carries a salver[6], table cloth, and plate stand.* CECILY *is about to retort. The presence of the servants exercises a restraining influence, under which both girls chafe[7].)*

MERRIMAN : Shall I lay tea here as usual, Miss ?

CECILY *(sternly, in a calm voice)* : Yes, as usual. (MERRIMAN *begins to clear table and lay cloth. A long pause.* CECILY *and* GWENDOLEN *glare at each other.)*

GWENDOLEN : Are there many interesting walks in the vicinity, Miss Cardew ?

CECILY : Oh ! yes ! a great many[8]. From the top of one of the hills quite close one can see five counties.

GWENDOLEN : Five counties ! I don't think I should like that ; I hate crowds.

CECILY *(sweetly)* : I suppose that is why you live in town ? (GWENDOLEN *bites her lip, and beats her foot nervously with her parasol.)*

GWENDOLEN *(looking around)* : Quite a well-kept garden this is, Miss Cardew.

---

1. **to speak one's mind** : *parler franchement.*
2. Δ **How dare you ?** : construction typique de verbe auxiliaire. **Dare** ne s'emploie plus guère avec cette construction que dans cette expression (littéralement = « *comment osez-vous ?* »), et à la forme négative (**he dare not do it**, *il n'ose pas le faire*) ainsi que dans l'expression **I dare say.**
3. **shallow** ['ʃæləʊ].
4. **When I see a spade I call it a spade** : spade = *bêche* et aux cartes, *pique.* **To call a spade a spade** correspond à notre français *appeler un chat un chat.* Mais le problème se complique ici. D'abord nous sommes au jardin et c'est la vue (**I see**) de cet humble outil qui amène cette expression dans la bouche de Cecily,

128

GWENDOLEN : Est-ce à moi, Miss Cardew, que vous faites allusion quand vous parlez d'intrigue ? Vous êtes bien présomptueuse. En pareille circonstance, c'est plus qu'un devoir moral de dire ce qu'on a sur le cœur, c'est un plaisir.

CECILY : Est-ce que vous suggérez, Miss Fairfax, que j'ai tendu un piège pour obtenir une promesse de Constant ? Quelle audace ! Ce n'est plus le moment de porter le masque transparent des bonnes manières, et quand je vois une tête de pioche je dis que c'est une tête de pioche.

GWENDOLEN, *ironique* : Je suis heureuse de vous dire que je n'ai jamais vu de pioche. Il est évident que nous n'appartenons pas au même monde.

(*Entre* MERRIMAN, *suivi du valet de pied. Il apporte un plateau, une nappe et une desserte.* CECILY *est sur le point de répliquer, mais la présence des domestiques la retient, ce qui irrite les deux jeunes filles.*)

MERRIMAN : Servirai-je le thé ici comme d'habitude, Miss ?

CECILY, *d'un ton sérieux, et d'une voix calme* : Oui, comme d'habitude. (MERRIMAN *commence à débarrasser la table et à mettre la nappe. Long silence.* CECILY *et* GWENDOLEN *échangent un long regard hostile.*)

GWENDOLEN : Y a-t-il beaucoup de promenades intéressantes à faire dans les environs, Miss Cardew ?

CECILY : Oh, oui, énormément. Du haut de l'une de ces collines toutes proches on découvre cinq comtés.

GWENDOLEN : Cinq comtés ! Cela ne me plairait guère, je crois ; j'ai horreur des foules.

CECILY, *doucement* : C'est pourquoi, je le suppose, vous habitez en ville ? (GWENDOLEN *se mord la lèvre et se frappe nerveusement le pied de son ombrelle.*)

GWENDOLEN, *promenant son regard sur le jardin* : Vous avez un jardin bien soigné, Miss Cardew.

---

outrée par l'obstination de **Gwendolen. Gwendolen**, enfin, va saisir le mot au bond et va, par son ignorance de la chose simple et typiquement campagnarde qu'est la bêche, une fois de plus snober **Cecily**. D'où la traduction qui fait appel à la *tête de pioche*, symbole d'obstination que dénonce Cecily et qui ne nous fait pas sortir du jardin.

5. **spheres** [sfɪəz].
6. **salver** ['sælvə].
7. **chafe** [tʃeɪf] m. à m. « s'irritent, s'enflamment ».
8. ∆ **a great many** : on rencontre aussi **a good many of**, bon nombre, *bon nombre de*.

CECILY : So glad you like it, Miss Fairfax.

GWENDOLEN : I had no idea there were any flowers in the country.

CECILY : Oh, flowers are as common here, Miss Fairfax, as people are in London.

GWENDOLEN : Personally I cannot understand how anybody manages to exist in the country, if anybody who is anybody[1] does[2]. The country always bores[3] me to death.

CECILY : Ah ! This is what the newspapers call agricultural depression, is it not ? I believe the aristocracy[4] are suffering very much from it just at present. It is almost an epidemic[5] amongst[6] them, I have been told. May I offer you some tea, Miss Fairfax ?

GWENDOLEN (with elaborate politeness) : Thank you. (Aside.) Detestable girl ! But I require[7] tea !

CECILY (sweetly) : Sugar ?

GWENDOLEN (superciliously[8]) : No, thank you. Sugar is not fashionable any more. (CECILY looks angrily at her, takes up the tongs and puts four lumps of sugar into the cup.)

CECILY (severely) : Cake or bread and butter ?

GWENDOLEN (in a bored manner) : Bread and butter, please. Cake is rarely seen at the best houses nowadays.

CECILY (cuts a very large slice of cake and puts it on the tray) : Hand that to Miss Fairfax.

(MERRIMAN does so, and goes out with footman. GWENDOLEN drinks the tea and makes a grimace[9]. Puts down cup at once, reaches out her hand[10] to the bread and butter, looks at it, and finds it is cake. Rises in indignation.)

---

1. Δ **anybody** pour **somebody** dans une phrase négative, hypothétique ou interrogative ; mais aussi jeu sur **somebody** dans le sens de personnage important : *they think they are somebodies*, *ils se prennent pour des personnages importants = ils ne se croient pas rien.*

2. **does** : théoriquement on peut considérer que **does** reprend **manages**, ou **exist**. C'est le contexte (expression du mépris pour ceux qui habitent la campagne) qui impose le choix de cette deuxième possibilité.

3. **bores** [bɔːz].

4. Δ **the aristocracy are** : **aristocracy** est pris dans le sens collectif de **the aristocrats**, d'où le pluriel. Construction fréquente d'un substantif désignant un groupe de personnes, par exemple :

CECILY : Je suis heureuse que vous l'aimiez.

GWENDOLEN : Je ne m'imaginais pas qu'il y avait des fleurs à la campagne.

CECILY : Les fleurs sont ici choses aussi communes que les gens à Londres.

GWENDOLEN : Personnellement je n'arrive pas à comprendre comment quelqu'un peut faire pour vivre à la campagne — à supposer que quelqu'un qui soit vraiment quelqu'un y vive. La campagne m'ennuie toujours à mourir.

CECILY : Ah, c'est ce que les journaux appellent la crise agricole, n'est-ce pas ? Je crois que les aristocrates en souffrent beaucoup à l'heure actuelle. C'est presque une épidémie parmi eux, m'a-t-on dit. Puis-je vous offrir du thé, Miss Fairfax ?

GWENDOLEN, *avec une politesse étudiée* : Je vous remercie. *(A part.)* Quelle fille odieuse ! Mais il me faut absolument une tasse de thé.

CECILY, *doucement* : Sucre ?

GWENDOLEN, *d'un ton hautain* : Non, merci, la mode n'est plus au sucre. (CECILY *la regarde avec colère, prend la pince à sucre et en met quatre morceaux dans la tasse.*)

CECILY, *d'une voix sévère* : Cake ou tartines beurrées ?

GWENDOLEN, *d'un ton d'ennui* : Tartines. On ne voit plus guère de cake dans les meilleures familles, aujourd'hui.

CECILY *coupe une grosse tranche de cake qu'elle pose sur le plateau* : Donnez ceci à Miss Fairfax.

(MERRIMAN *obéit, puis sort avec le valet de pied.* GWENDOLEN *boit son thé et fait la grimace. Elle repose aussitôt sa tasse, tend la main pour prendre les tartines, regarde, et constate que c'est du cake. Elle se lève indignée.*)

---

family, *famille*, **team**, *équipe*, **crew**, *équipage*, **management**, *la direction* (d'une entreprise), etc.

5. **epidemic** [epɪˈdemɪk].

6. **amongst** = among.

7. **require** = **need**, *avoir besoin de* ; aussi *exiger* : **to require somebody to do something** ; **to require something of somebody**. Nous ne sommes pas à l'épicerie d'où la traduction proposée.

8. **superciliously** [suːpəˈsɪlɪəslɪ].

9. **grimace** : indique ici une réaction de dégoût. *Faire des grimaces* (pour faire rire, par exemple), **to make faces**.

10. **reach out her hand** : notez l'emploi de **her**, là où le français utilise l'article défini. **Reach out** a trois constructions : **She reaches out her hand for the bread/to the bread/ to take the bread.**

GWENDOLEN : You have filled my tea with lumps of sugar, and though I asked most distinctly for bread and butter, you have given me cake. I am known for the gentleness of my disposition, and the extraordinary sweetness of my nature, but I warn you, Miss Cardew, you may go too far.

CECILY *(rising)* : To save my poor, innocent, trusting[1] boy from the machinations of any other girl there are no lengths to which I would not go.

GWENDOLEN : From the moment I saw you I distrusted you. I felt that you were false and deceitful. I am never deceived in such matters. My first impressions of people are invariably right.

CECILY : It seems to me, Miss Fairfax, that I am trespassing[2] on your valuable time. No doubt you have many other calls[3] of a similar character to make in the neighbourhood.

(Enter JACK.)

GWENDOLEN *(catching sight of him)* : Ernest ! My own Ernest !

JACK : Gwendolen ! Darling ! *(Offers to kiss her.)*

GWENDOLEN *(drawing back)* : A moment ! May I ask if you are engaged to be married to this young lady ? *(Points to CECILY.)*

JACK *(laughing)* : To dear little Cecily ! Of course not ! What could have put such an idea into your pretty little head ?

GWENDOLEN : Thank you. You may ! *(Offers her cheek.)*

CECILY *(very sweetly)* : I knew there must be some misunderstanding, Miss Fairfax. The gentleman whose arm is at present round your waist is my guardian[4], Mr John Worthing.

GWENDOLEN : I beg your pardon ?

CECILY : This is Uncle Jack.

GWENDOLEN *(receding)* : Jack ! Oh !

(Enter ALGERNON.)

---

1. **trusting boy**, *garçon plein de confiance.*
2. ▲ **trespassing : trespass** signifie au sens religieux *offense*, (**forgive us our trespasses**, *pardonnez-nous nos offenses*), puis, au sens juridique, *entrée non autorisée*. **To trespass the law**, *enfreindre la loi.* **To trespass on somebody's time**, *abuser du temps de*

GWENDOLEN : Vous avez rempli ma tasse de sucre et bien que je vous aie clairement demandé des tartines beurrées vous m'avez donné du cake. Je suis connue pour ma gentillesse, l'extrême douceur de mon caractère, mais je vous avertis, Miss Cardew, vous dépassez peut-être les bornes.

CECILY, *se levant* : Pour sauver mon pauvre innocent trop confiant des machinations de toute autre fille je ne reculerais devant aucune extrémité.

GWENDOLEN : Dès l'instant où je vous ai vue, je me suis méfiée de vous. Je sentais que vous étiez déloyale et perfide. Ce sont des choses sur lesquelles je ne me trompe pas. Mes premières impressions sur les gens sont invariablement exactes.

CECILY : Il me semble, Miss Fairfax, que j'abuse de vos précieux instants. Nul doute que vous n'ayez d'autres visites de même nature à faire dans le voisinage.

(*Entre* JACK.)

GWENDOLEN, *qui l'aperçoit* : Constant ! Mon Constant !

JACK : Gwendolen ! Chérie ! *(Il veut l'embrasser.)*

GWENDOLEN, *avec un mouvement de recul* : Un instant. Puis-je vous demander si vous avez promis d'épouser cette jeune personne ? *(Elle désigne* CECILY.)

JACK, *éclatant de rire* : Épouser la chère petite Cecily ? Non bien sûr. Qu'est-ce qui a bien pu mettre pareille idée dans votre jolie petite tête ?

GWENDOLEN : Merci. Vous avez la permission. *(Elle lui tend la joue.)*

CECILY, *d'une voix très douce* : Je savais bien qu'il devait y avoir un malentendu, Miss Fairfax. Ce monsieur dont le bras est en ce moment passé autour de votre taille est mon tuteur, M. John Worthing.

GWENDOLEN : Je vous demande pardon ?

CECILY : C'est oncle Jack.

GWENDOLEN, *chancelant* : Jack ! Oh !

(*Entre* ALGERNON.)

---

quelqu'un. **No entry. Trespassers will be prosecuted,** *Défense d'entrer, sous peine de poursuites.*
3. **calls**, ici *visites* ; également *appel, coup de téléphone.*
4. **guardian** [ˈgaːdɪən].

CECILY : Here is Ernest.

ALGERNON *(goes straight over to* CECILY *without noticing anyone else)* : My own love ! *(Offers to kiss her.)*

CECILY *(drawing back)* : A moment, Ernest ! May I ask you — are you engaged to be married to this young lady ?

ALGERNON *(looking round)* : To what young lady ? Good heavens ! Gwendolen !

CECILY : Yes : to good heavens, Gwendolen, I mean to Gwendolen.

ALGERNON *(laughing)* : Of course not ! What could have put[1] such an idea into your pretty little head ?

CECILY : Thank you. *(Presenting her cheek to be kissed.)* You may. (ALGERNON *kisses her.)*

GWENDOLEN : I felt there was some slight[2] error, Miss Cardew. The gentleman who is now embracing[3] you is my cousin, Mr Algernon Moncrieff.

CECILY *(breaking away from Algernon)* : Algernon Moncrieff ! Oh ! *(The two girls move towards each other and put their arms round each other's waists as if for protection.)*

CECILY : Are you called Algernon ?

ALGERNON : I cannot deny[4] it.

CECILY : Oh !

GWENDOLEN : Is your name really John ?

JACK *(standing rather proudly)* : I could deny it if I liked. I could deny anything if I liked. But my name certainly is John. It has been John for years.

CECILY *(to* GWENDOLEN.*)* : A gross[5] deception has been practised[6] on both of us.

---

1. **What could have put... ?** Comparez 1) **what could have put such an idea... ?** et 2) **it could have put ideas...** En 2) **could** est un prétérit. Le prétérit d'un auxiliaire suivi de l'infinitif passé signifiant que « *cela aurait pu* » implique que cela ne s'est pas passé ainsi. En 1) l'idée a bel et bien été mise dans la tête de Cecily. **Could** ici suggère l'incapacité d'Algernon à en identifier la cause. **Could** est une alternative de **can** (cf. en français peut/pourrait) suggérant que la question est à peine pensable, et ne peut être considéré ni comme un prétérit, ni comme un conditionnel.

2. **slight** voir p. 78, note 3.

3. △ **embrace** : *enlacer*. **To embrace an opportunity**, *saisir une occasion*.

CÉCILY : Et voici Constant.

ALGERNON *va directement vers* CÉCILY *sans faire attention aux autres* : Mon amour ! *(Il veut l'embrasser.)*

CÉCILY, *avec un mouvement de recul* : Un instant, Constant. Puis-je vous demander : avez-vous promis d'épouser cette jeune personne ?

ALGERNON *se retourne* : Quelle jeune personne ? Grand dieu ! Gwendolen !

CÉCILY : Oui, grand dieu, Gwendolen, je veux dire Gwendolen.

ALGERNON, *éclatant de rire* : Non, bien sûr ! Qu'est-ce qui a bien pu mettre pareille idée dans votre jolie petite tête ?

CÉCILY : Merci. *(Elle lui tend la joue pour qu'il l'embrasse.)* Vous avez la permission. (ALGERNON *l'embrasse.*)

GWENDOLEN : Je sentais bien qu'il y avait une légère erreur, Miss Cardew. Ce monsieur qui à ce moment précis vous prend dans ses bras est mon cousin, M. Algernon Moncrieff.

CÉCILY, *s'écartant d'*ALGERNON : Algernon Moncrieff ! Oh ! *(Les deux jeunes filles s'approchent l'une de l'autre et se prennent mutuellement par la taille, comme pour se protéger.)*

CÉCILY : Vous vous appelez Algernon ?

ALGERNON : Je ne puis le nier.

CÉCILY : Oh !

GWENDOLEN : Est-ce bien Jack votre vrai nom ?

JACK, *prenant une pause assez fière* : Je pourrais le nier, si cela me plaisait. Je pourrais nier n'importe quoi, moi, si cela me plaisait. Mais je m'appelle John, c'est certain. Cela fait des années que je m'appelle John.

CÉCILY, *à* GWENDOLEN : On s'est grossièrement joué de nous.

---

4. **deny** [dɪ'naɪ], *nier*, **there's no denying it**, *c'est indéniable*. Également *refuser, renier, démentir* ; cf. le substantif **denial, a denial of justice**, *un déni de justice*, **to issue a denial**, *publier un démenti*.

5. ▲ **gross** : *grossier*, **gross food**, *nourriture grossière* ; *flagrant*, **gross injustice**, *injustice flagrante* ; *grossier et choquant*, **gross ignorance**, *ignorance crasse*.

6. **practised** ['præktɪsd].

GWENDOLEN : My poor wounded[1] Cecily !

CECILY : My sweet wronged Gwendolen !

GWENDOLEN *(slowly and seriously)* : You will call me sister, will you not ? *(They embrace.* JACK *and* ALGERNON *groan[2] and walk up and down.)*

CECILY *(rather brightly)* : There is just one question I would like to be allowed to ask my guardian.

GWENDOLEN : An admirable idea ! Mr Worthing, there is just one question I would like to be permitted to put to you. Where is your brother Ernest ? We are both engaged to be married to your brother Ernest, so it is a matter of some importance to us to know where your brother Ernest is at present.

JACK *(slowly and hesitatingly)* : Gwendolen — Cecily — it is very painful for me to be forced to speak the truth. It is the first time in my life that I have ever been reduced to such a painful position, and I am really quite inexperienced in doing anything of the kind. However, I will tell you quite frankly that I have no brother Ernest. I have no brother at all. I never had a brother in my life, and I certainly have not the smallest intention[3] of ever having one in the future.

CECILY *(surprised)* : No brother at all ?

JACK *(cheerily)* : None !

GWENDOLEN *(severely)* : Had you never[4] a brother of any kind ?

JACK *(pleasantly)* : Never. Not even of any kind.

GWENDOLEN : I am afraid it is quite clear, Cecily, that neither of us is engaged[5] to be married to anyone.

CECILY : It is not a very pleasant position for a young girl suddenly to find herself in. Is it ?

---

1. **wounded** [wuːndɪd].

2. **groan** [grəʊn], *gémir* (pour exprimer la douleur), *grogner* (pour exprimer la désapprobation).

3. **I have not the smallest intention** : on dirait plutôt aujourd'hui **I do not have the smallest intention**, ou **I haven't got**. **Have**, lorsqu'il a un complément direct (sens de *posséder*) ou avec **to** (**have to**, *devoir*) ne se conjugue plus comme un verbe auxiliaire.

4. **△ never** : il ne s'agit pas de savoir s'il a, à un moment ou un autre, eu un frère, car dans ce cas on emploierait **ever** (**have you ever had**). **Gwendolen** cherche à lui faire confirmer **I never had**.

GWENDOLEN : Ma pauvre Cecily blessée !

CECILY : Ma douce Gwendolen outragée !

GWENDOLEN, *d'une voix lente et sur un ton sérieux* : Vous consentirez à m'appeler sœur, n'est-ce pas ? *(Elles tombent dans les
bras l'une de l'autre.* JACK *et* ALGERNON *marchent de long en
large en gémissant douloureusement.)*

CECILY, *d'un ton assez enjoué* : Il y a juste une question que
j'aimerais être autorisée à poser à mon tuteur.

GWENDOLEN : Excellente idée. M. Worthing, il y a juste une question que j'aimerais être autorisée à vous poser. Où est votre
frère Constant ? Nous avons l'une et l'autre reçu une promesse
de mariage de votre frère Constant, il nous importe donc de
savoir où il se trouve pour l'instant.

JACK, *lentement, avec hésitation* : Gwendolen... Cecily..., il m'est
très pénible d'être contraint de dire la vérité. C'est bien la première fois que je me vois réduit à cette pénible situation, et je
manque vraiment d'expérience en la matière. Cependant je
vous dirai franchement que je n'ai pas de frère prénommé
Constant. Je n'ai absolument pas de frère. Je n'ai jamais eu de
frère de ma vie, et je n'ai certainement pas la moindre intention d'en avoir un un jour.

CECILY, *surprise* : Pas de frère du tout ?

JACK, *d'un ton léger* : Pas du tout.

GWENDOLEN, *sévèrement* : Vous n'avez jamais eu de frère d'une
espèce ou d'une autre ?

JACK, *plaisamment* : Jamais d'aucune espèce.

GWENDOLEN : Il est tout à fait clair, Cecily, que personne ne nous
a promis de nous épouser, ni à l'une, ni à l'autre.

CECILY : Il n'est guère agréable pour une jeune fille de se trouver soudain dans cette situation. N'est-ce pas ?

---

5. **neither of us is engaged**, il paraît nécessaire de mettre **neither** en évidence, dans la traduction. Cela répond (voir plus haut)
à **we are both engaged** (= **both of us are**). On notera l'emploi du
singulier **is** (emploi tout à fait régulier, même s'il arrive dans la
langue courante actuelle de rencontrer **neither... are**, ce qui
s'explique peut-être par le fait que **neither** est le terme négatif
unique correspondant à **both** et à **either**.

GWENDOLEN : Let us go into the house. They will hardly venture[1] to come after us there.

CECILY : No, men are so cowardly[2], aren't they ?

(They retire into the house with scornful looks.)

JACK : This ghastly state of things[3] is what you call Bunburying, I suppose ?

ALGERNON : Yes, and a perfectly wonderful Bunbury it is. The most wonderful Bunbury I have ever had in my life.

JACK : Well, you've no right whatsoever to Bunbury here.

ALGERNON : That is absurd. One has a right to Bunbury anywhere[4] one chooses. Every serious Bunburyist knows that.

JACK : Serious Bunburyist ? Good heavens !

ALGERNON : Well, one must be serious about something, if one wants to have any amusement in life. I happen to be serious about Bunburying. What on earth you are serious about I haven't got the remotest idea. About everything, I should fancy[5]. You have such an absolutely trivial[6] nature.

JACK : Well, the only small satisfaction I have in the whole of this wretched business is that your friend Bunbury is quite exploded[7]. You won't be able to run down to the country quite so often as you used to[8] do, dear Algy. And a very good thing too.

ALGERNON : Your brother is a little off colour[9], isn't he, dear Jack ? You won't be able to disappear to London quite so frequently as your wicked custom was. And not a bad thing either.

JACK : As for your conduct towards Miss Cardew, I must say that your taking in[10] a sweet, simple, innocent girl like that is quite inexcusable[11]. To say nothing of the fact that she is my ward.

---

1. **hardly venture**, m. à m. « *difficilement se risquer à* ».
2. **cowardly** ['kauǝdlɪ], (adjectif).
3. **ghastly state of things**, m. à m. « *un état de choses effroyable* (ou *affreux*) ».
4. **anywhere** : on dirait plus couramment **wherever**.
5. **fancy**, *s'imaginer, se figurer ; aimer, avoir du goût pour*.
6. **▲ trivial** : dans le sens de *futile*, s'opposant à **serious**. Le français *trivial*, dans le sens de *vulgaire*, se rendrait, par exemple, par **crude** ou **coarse**, et par **commonplace** dans le sens de *banal*.

GWENDOLEN : Rentrons. Ils n'oseront sans doute pas nous suivre.

CECILY : Non. Les hommes sont tellement lâches, n'est-ce pas ?

(Elles rentrent, leur adressant des regards méprisants.)

JACK : Cet effroyable gâchis, c'est sans doute ce que tu appelles du Bunburysme, je suppose ?

ALGERNON : Bunburysme parfait, merveilleux. Le plus merveilleux qu'il m'ait jamais été donné de voir.

JACK : Eh bien, tu n'as pas le moindre droit de Bunburyser ici.

ALGERNON : C'est absurde. On a le droit de Bunburyser où l'on veut. Tout Bunburyste sérieux le sait.

JACK : Bunburyste sérieux ? Grands dieux !

ALGERNON : Il faut bien être sérieux en quelque chose si l'on veut s'amuser dans la vie. Il se trouve que je suis sérieux en ce qui concerne le Bunburysme. En quoi es-tu sérieux, toi, je n'en ai pas la moindre idée. En tout, j'imagine ; tu es d'un naturel absolument frivole.

JACK : Eh bien la seule satisfaction que je trouve dans cette malheureuse histoire c'est que ton ami Bunbury s'est complètement volatilisé. Tu ne pourras plus courir à la campagne aussi souvent que tu le faisais, mon cher Algy, et c'est une excellente chose.

ALGERNON : Et ton frère, il n'a pas très bonne mine, n'est-ce pas mon cher Jack ? Tu ne pourras plus t'éclipser à Londres aussi souvent que tu en avais la perverse habitude. Et ce n'est pas une mauvaise chose non plus.

JACK : Quant à ta conduite envers Miss Cardew, je dois te dire que ta façon de rouler ainsi une jeune fille si simple, si innocente est proprement inexcusable. Sans parler du fait qu'il s'agit de ma pupille.

---

7. **exploded** : to explode a theory, an argument, *discréditer, réduire à néant, une théorie, un argument.* **To explode a myth** : *faire éclater un mythe.*

8. **△ used to** : indique qu'un fait passé est considéré comme révolu et ne se reproduira pas.

9. **to be off colour**, *être mal fichu.*

10. **taking in**, familier pour **deceiving**.

11. **inexcusable** [ˌɪnɪksˈkjuːzəbl].

ALGERNON : I can see no possible defence at all for your deceiving a brilliant, clever, thoroughly[1] experienced[2] young lady like Miss Fairfax. To say nothing of the fact that she is my cousin.

JACK : I wanted to be engaged to Gwendolen, that is all, I love her.

ALGERNON : Well, I simply wanted to be engaged to Cecily. I adore her.

JACK : There is certainly no chance of your marrying Miss Cardew.

ALGERNON : I don't think there is much likelihood[3], Jack, of you and Miss Fairfax being united.

JACK : Well, that is no business of yours.

ALGERNON : If it was my business, I wouldn't talk about it. *(Begins to eat muffins[4].)* It is very vulgar to talk about one's business. Only people like stockbrokers[5] do that, and then merely at dinner parties.

JACK : How you can sit there, calmly[6] eating muffins when we are in this horrible trouble, I can't make out[7]. You seem to me to be perfectly heartless[8].

ALGERNON : Well, I can't eat muffins in an agitated manner. The butter would probably get on my cuffs. One should always eat muffins quite calmly. It is the only way to eat them.

JACK : I say it's perfectly heartless your eating muffins at all, under the circumstances[9].

ALGERNON : When I am in trouble, eating is the only thing that consoles me. Indeed, when I am in really great trouble, as any one who knows me intimately will tell you, I refuse everything except food and drink. At the present moment I am eating muffins because I am unhappy. Besides, I am particularly[10] fond of muffins. *(Rising.)*

---

1. **thoroughly** ['θʌrəlɪ].
2. **experienced** [ɪk'spɪrɪənst].
3. **likelihood** : dérivé de likely ; he is likely to arrive at any time, *il risque d'arriver d'un moment à l'autre*. On pourrait dire ici : **I don't think you and miss Fairfax are likely to be united**.
4. **muffins** : petits pains ronds et plats.
5. **stockbrokers**, *agents de change*. Cf. **the Stock Exchange**, *la Bourse* ; **stocks and shares**, *valeurs mobilières et actions*.
6. **calmly** ['kɑ:mlɪ].
7. △ **How can you... make out**. Notez l'inversion des deux propositions, également possible en français, comme il s'agit d'une proposition complétive : **I can't make out how**, etc. qu'on peut assi-

ALGERNON : Je ne vois pas quelle défense tu peux alléguer pour
   avoir trompé une jeune femme brillante, intelligente, pleine
   d'expérience comme Miss Fairfax. Sans parler du fait qu'il s'agit
   de ma cousine.

JACK : Je voulais être fiancé à Gwendolen, c'est tout, je l'aime.

ALGERNON : Eh bien, moi, je voulais être fiancé à Cecily, je
   l'adore.

JACK : Il est hors de question que tu épouses Miss Cardew.

ALGERNON : Il est à mon avis fort improbable que Miss Fairfax et
   toi soyez jamais unis.

JACK : Ça, ce ne sont pas tes affaires.

ALGERNON : S'il s'agissait de mes affaires je n'en parlerais pas. *(Il
   commence à manger des muffins.)* C'est très vulgaire de parler de ses affaires. Il n'y a guère que les courtiers en bourse
   qui parlent de leurs affaires, et seulement dans les dîners en
   ville.

JACK : Comment peux-tu rester là à manger tranquillement des
   muffins, avec les ennuis horribles que nous avons, cela me
   dépasse. Tu es vraiment sans cœur, me semble-t-il.

ALGERNON : Je ne peux pas m'agiter quand je mange des muffins,
   je mettrais du beurre sur mes manchettes. Il faut toujours manger des muffins avec le plus grand calme. C'est la seule façon
   de les manger.

JACK : Je soutiens qu'il faut que tu sois absolument sans cœur pour
   manger des muffins dans les circonstances présentes.

ALGERNON : Lorsque j'ai des ennuis, manger est la seule chose qui
   me console. En vérité, quand j'ai des ennuis très sérieux,
   comme te le dira n'importe lequel de mes intimes, je refuse
   tout, sauf le boire et le manger. Pour l'instant je mange des muffins parce que je suis malheureux. Et, de plus, j'aime beaucoup
   les muffins. *(Il se lève.)*

---

miler à une proposition interrogative indirecte. Il n'y a pas en
anglais d'inversion : **how can you**, qui ne se présente qu'à la forme
interrogative directe. Le choix de *cela me dépasse* pour traduire
make out (= *imaginer*) oblige à revenir à l'interrogative directe
en français.

8. **heartless** [ˈhɑːtlɪs].

9. **under the circumstances** : on peut également dire **in the circumstances** ; the ici = **the present**.

10. **particularly** [pəˈtɪkjʊləlɪ].

JACK *(rising)* : Well, there is no reason why you should[1] eat them all in that greedy[2] way. *(Takes muffins from Algernon.)*

ALGERNON *(offering tea-cake)* : I wish you would have tea-cake instead. I don't like tea-cake.

JACK : Good heavens ! I suppose a man may eat his own muffins in his own garden[3].

ALGERNON : But you have just said it was perfectly heartless to eat muffins.

JACK : I said it was perfectly heartless of you, under the circumstances. That is a very different thing.

ALGERNON : That may be. But the muffins are the same. *(He seizes[4] the muffin-dish from JACK.)*

JACK : Algy, I wish to goodness[5] you would go.

ALGERNON : You can't possibly ask me to go without having some dinner. It's absurd[6]. I never go without my dinner. No one ever does, except vegetarians[7] and people like that. Besides I have just made arrangements with Dr Chasuble to be christened at a quarter to six under the name of Ernest.

JACK : My dear fellow, the sooner you give up that nonsense the better. I made arrangements[8] this morning with Dr Chasuble to be christened myself at five thirty, and I naturally will take the name of Ernest. Gwendolen would wish it. We cannot both be christened Ernest. It's absurd. Besides, I have a perfect right to be christened if I like. There is no evidence[9] at all that I have ever been christened by anybody. I should think it extremely probable I never was, and so does Dr Chasuble. It is entirely different in your case. You have been christened already.

---

1. **should**, m. à m. « *que vous les mangiez...* », **should** est ici un auxiliaire du subjonctif.
2. **greedy**, ici *vorace*, mais également *cupide*, **to be greedy for gain**, *être âpre au gain*.
3. **his own muffins... garden** : le premier **own** est rendu en français par un accent particulier mis sur *ses*.
4. **seizes** ['si:ziz].
5. **I wish to goodness** : de même que dans l'expression **for goodness'sake**, **goodness** est un euphémisme pour **God**.
6. **absurd** [əb'sɜ:d].
7. **vegetarian** [ˌvedʒɪ'teərɪən].

JACK, *se levant* : Mais ce n'est pas une raison pour tout manger avec cette voracité. *(Il lui enlève les muffins.)*

ALGERNON, *lui offrant des biscuits* : J'aimerais mieux que tu prennes des biscuits à la place. Je n'aime pas les biscuits.

JACK : Ça, par exemple ! Un homme, je le suppose, a le droit de manger ses muffins dans son propre jardin !

ALGERNON : Mais tu viens de dire qu'il fallait être sans cœur pour manger des muffins dans les circonstances présentes.

JACK : J'ai dit qu'il fallait que toi tu sois absolument sans cœur, dans les circonstances présentes. C'est très différent.

ALGERNON : Cela se peut, mais ça ne change rien aux muffins. *(Il reprend l'assiette de muffins à* JACK.*)*

JACK : Algy, j'aimerais vraiment que tu t'en ailles.

ALGERNON : Tu ne peux tout de même pas me demander de partir sans avoir dîné. C'est absurde. Je ne pars jamais sans avoir dîné. Il n'y a que les végétariens ou les gens de la même espèce qui font cela. De plus j'ai pris mes dispositions avec le Recteur Chasuble pour me faire baptiser à six heures moins le quart, sous le nom de Constant.

JACK : Mon cher ami, le plus tôt tu renonceras à cette sottise sera le mieux. J'ai pris mes dispositions ce matin avec le Recteur Chasuble pour me faire moi-même baptiser à cinq heures et demie, et je prendrai naturellement le nom de Constant. C'est ce que souhaiterait Gwendolen. Nous ne pouvons pas prendre tous les deux Constant comme nom de baptême. C'est absurde. De plus j'ai parfaitement le droit de me faire baptiser si cela me plaît. Rien ne prouve que j'aie jamais été baptisé par qui que ce soit. Il est même fort probable, selon moi, que je ne l'ai jamais été, et le Recteur Chasuble le pense également. Dans ton cas les choses sont totalement différentes, tu as déjà été baptisé, toi.

---

8. **arrangements** [ə'reɪndʒmənt].

9. ▲ **evidence** : *indice* ou *preuve*. **There was no evidence of housebreaking**, *il n'y avait aucun indice d'effraction. Témoignage* : **to give evidence**, *faire une déposition*. **Evidence** est invariable singulier. Le français *c'est une évidence* pourrait se rendre par : **it is obvious**.

ALGERNON : Yes, but I have not been christened for years.

JACK : Yes, but you have been christened. That is the important thing.

ALGERNON : Quite so. So I know my constitution can stand it. If you are not quite sure about your ever having been christened, I must say I think it rather dangerous your venturing on it now. It might make you very unwell[1]. You can hardly have forgotten that someone very closely connected with you was very nearly carried off this week in Paris by a severe chill.

JACK : Yes, but you said yourself that a severe chill was not hereditary.

ALGERNON : It usen't[2] to be, I know — but I daresay it is now. Science is always making wonderful improvements in things.

JACK *(picking up the muffin-dish)* : Oh, that is nonsense ; you are always talking nonsense.

ALGERNON : Jack, you are at the muffins again ! I wish you wouldn't. There are only two left. *(Takes them.)* I told you I was particularly fond of muffins.

JACK : But I hate tea-cake.

ALGERNON : Why on earth then do you allow tea-cake to be served up for your guests ? What ideas you have on hospitality ?

JACK : Algernon ! I have already told you to go. I don't want you here. Why don't you go !

ALGERNON : I haven't quite finished my tea yet ! And there is still one muffin left[3]. (JACK *groans, and sinks into a chair.* ALGERNON *continues eating.)*

ACT DROP

---

1. **unwell** : to feel unwell, *se sentir indisposé*.
2. **it usen't**, en anglais parlé actuel, on dirait plutôt, **it didn't use** to be.
3. **one muffin left** : m. à m. *« un muffin laissé »*.

ALGERNON : Certes, mais cela fait des années que je ne me suis pas fait baptiser.

JACK : C'est sûr, mais tu as été baptisé. C'est cela qui compte.

ALGERNON : Absolument. Par conséquent je sais que je suis de constitution assez robuste pour supporter le baptême. Si toi tu n'es pas sûr d'avoir été baptisé, je dois dire qu'à mon sens il est plutôt dangereux pour toi de te risquer dans cette épreuve. Cela pourrait nuire à ta santé. Tu ne peux pas avoir oublié que l'un de tes proches a failli être emporté cette semaine à Paris par un gros refroidissement.

JACK : C'est vrai, mais tu as dit toi-même qu'un gros refroidissement n'est pas héréditaire.

ALGERNON : Ça ne l'était pas dans le temps, je le sais. Mais je crois bien que ça l'est maintenant. La science est merveilleuse, elle améliore toujours les choses.

JACK, *prenant l'assiette de muffins* : Quelle sottise ! Tu n'arrêtes pas de dire des sottises.

ALGERNON : Jack, voilà encore que tu t'attaques aux muffins. J'aimerais bien que tu cesses, il n'en reste que deux. *(Il les prend.)* Je t'ai dit que j'aimais beaucoup les muffins.

JACK : Mais moi, j'ai horreur des biscuits.

ALGERNON : Pourquoi diable permets-tu que l'on serve des biscuits à tes invités ? Tu as de ces conceptions de l'hospitalité !

JACK : Algernon ! Je t'ai déjà dit de t'en aller. Je ne veux pas de toi ici. Pourquoi ne pars-tu pas ?

ALGERNON : Je n'ai pas encore fini mon thé ! Et il reste un muffin.

(JACK, *en gémissant, se laisse tomber dans un fauteuil*. ALGERNON *continue de manger*.)

RIDEAU

THIRD ACT

Drawing-room at the Manor House.

(GWENDOLEN *and* CECILY *are at the window, looking out into the garden.*)

GWENDOLEN : The fact that they did not follow us at once into the house, as anyone else would have done, seems to me to show that they have some sense of shame left.

CECILY : They have been eating muffins. That looks like repentance.

GWENDOLEN (*after a pause*) : They don't seem to notice us at all. Couldn't you cough[1] ?

CECILY : But I haven't got a cough[2].

GWENDOLEN : They're looking at us. What effrontery[3] !

CECILY : They're approaching. That's very forward of them.

GWENDOLEN : Let us preserve a dignified[4] silence.

CECILY : Certainly. It's the only thing to do now.

(*Enter* JACK *followed by* ALGERNON. *They whistle some dreadful popular air from a British opera.*)

GWENDOLEN : This dignified silence seems to produce an unpleasant effect.

CECILY : A most distasteful one.

GWENDOLEN : But we will[5] not be the first to speak.

CECILY : Certainly not.

---

1. **cough** [kɑf].
2. **I haven't got a cough** : Cecily ne veut pas avoir l'air d'être la première à vouloir reprendre contact avec **Algernon** et **Jack**. Elle a parfaitement compris ce que voulait dire **Gwendolen : couldn't you give them a warning cough**. D'où sa réponse, comme elle aurait pu dire **I haven't got a cold**, *je ne suis pas enrhumée*.
3. **effrontery** [ɪˈfrʌntərɪ].
4. **dignified** [ˈdɪgnɪfaɪd].
5. **will** : alors que **Wilde** emploie encore normalement **shall** à la première personne, **will** ici dénote l'intention délibérée, dont on va voir du reste ce qu'elle vaut.

ACTE III

Le salon du Manoir.

(GWENDOLEN *et* CECILY *sont à la fenêtre. Elles regardent dans le jardin.*)

GWENDOLEN : Le fait qu'ils ne nous aient pas suivies et ne soient pas rentrés immédiatement, comme n'importe qui l'aurait fait, me semble indiquer qu'il leur reste encore un certain sens de ce qui est la honte.

CECILY : Ils ont mangé des muffins. Cela ressemble à du repentir.

GWENDOLEN, *après un silence* : Ils ne semblent pas s'apercevoir du tout de notre présence. Est-ce que vous ne pourriez pas tousser ?

CECILY : Mais je ne tousse pas !

GWENDOLEN : Ils nous regardent. Les effrontés !

CECILY : Ils s'approchent. Ils sont d'une rare insolence.

GWENDOLEN : Sachons garder un silence plein de dignité.

CECILY : Certainement. C'est maintenant la seule chose qui nous reste à faire.

(JACK *entre, suivi d'*ALGERNON . *Ils sifflent un air horriblement populaire, emprunté à un opéra anglais.*)

GWENDOLEN : Ce silence plein de dignité semble produire un effet déplaisant.

CECILY : Un effet des plus détestables.

GWENDOLEN : Mais ce n'est pas nous qui parlerons les premières.

CECILY : Certainement pas.

GWENDOLEN : Mr Worthing, I have something very particular to ask you. Much depends on your reply.

CECILY : Gwendolen, your common sense is invaluable. Mr Moncrieff, kindly answer me the following question. Why did you pretend to be my guardian's brother ?

ALGERNON : In order that I might[1] have an opportunity of meeting you.

CECILY (to GWENDOLEN) : That certainly seems a satisfactory explanation, does it not ?

GWENDOLEN : Yes, dear, if you can believe him.

CECILY : I don't. But that does not affect the wonderful beauty of his answer.

GWENDOLEN : True. In matters of grave importance, style, not sincerity, is the vital thing. Mr Worthing, what explanation can you offer to me for pretending to have a brother ? Was it in order that[2] you might have an opportunity of coming up to town to see me as often as possible ?

JACK : Can you doubt it, Miss Fairfax ?

GWENDOLEN : I have the gravest doubts upon the subject. But I intend to crush them. This is not the moment for German scepticism[3]. (Moving to CECILY.) Their explanations appear to be quite satisfactory, especially Mr Worthing's. That seems to me to have the stamp[4] of truth upon it.

CECILY : I am more than content with what Mr Moncrieff said. His voice alone inspires one with absolute credulity.

GWENDOLEN : Then you think we should forgive them ?

CECILY : Yes, I mean no.

GWENDOLEN : True ! I had forgotten. There are principles at stake[5] that one cannot surrender. Which of us should tell them ? The task is not a pleasant one.

---

1. **might**, m. à m. « afin que je puisse... ».

2. **Was it in order that** ; on dirait plus couramment ici **was it in order to have** (cf. p. 32). Il est vrai qu'il y aurait eu un risque d'ambiguïté car **to be in order** peut signifier être approprié/dans l'ordre des choses. **Would it be in order to go and see him ?** serait-ce opportun d'aller le voir ? Cf. **a cup of tea seems in order**, une tasse de thé me semble tout indiquée.

3. **German scepticism** : allusion à la philosophie allemande, alors à la mode, et en particulier au doute philosophique illustré par **Schopenhauer**.

GWENDOLEN : M. Worthing, j'ai quelque chose de très particulier à vous demander. Votre réponse sera lourde de conséquence.

CECILY : Votre bon sens, Gwendolen, n'a pas de prix. M. Moncrieff, ayez la bonté de répondre à la question suivante. Pourquoi vous êtes-vous fait passer pour le frère de mon tuteur ?

ALGERNON : Pour avoir une occasion de vous rencontrer.

CECILY à GWENDOLEN : Il est certain que cette explication semble satisfaisante, n'est-ce pas ?

GWENDOLEN : Oui, ma chère, si vous pouvez le croire.

CECILY : Je ne le crois pas, mais cela n'enlève rien à la merveilleuse beauté de sa réponse.

GWENDOLEN : Il est vrai ; sur des sujets graves et importants, l'essentiel c'est le style, non la sincérité. M. Worthing, quelle explication pouvez-vous me fournir, pour avoir prétendu que vous aviez un frère ? Était-ce afin d'avoir une occasion de venir à Londres pour me voir aussi souvent que possible ?

JACK : Pouvez-vous en douter, Miss Fairfax ?

GWENDOLEN : J'ai là-dessus les doutes les plus sérieux. Mais j'ai l'intention de les réduire à néant. L'heure n'est pas au scepticisme allemand. (*Elle s'approche de* CECILY). Leurs explications paraissent tout à fait satisfaisantes, notamment celle de M. Worthing, qui me semble frappée au coin de la vérité.

CECILY : Je suis plus que satisfaite de ce que m'a dit M. Moncrieff. Sa voix inspire, à elle seule, une crédulité absolue.

GWENDOLEN : Donc vous pensez que nous devrions leur pardonner ?

CECILY : Oui. Je veux dire non.

GWENDOLEN : C'est juste ; j'avais oublié. Il y a des principes en jeu, auxquels on ne peut renoncer. Qui de nous devrait le leur dire ? La tâche n'a rien d'agréable.

---

4. **stamp**, ici *sceau, poinçon, estampille*.
5. **stake**, terme emprunté à la langue des parieurs, à l'origine le trophée placé sur le poteau d'arrivée (**stake** = *pieu, poteau*), d'où *enjeu*. **Our future is at stake**, *il y va de notre avenir*.

CECILY : Could we not both[1] speak at the same time ?

GWENDOLEN : An excellent idea ! I nearly always speak at the same time as other people. Will you take the time[2] from me ?

CECILY : Certainly. (GWENDOLEN *beats time with uplifted finger.*)

GWENDOLEN *and* CECILY *(speaking together)* : Your Christian names are still an insuperable[3] barrier[4]. That is all !

JACK *and* ALGERNON *(speaking together)* : Our Christian names ! Is that all ? But we are going to be christened this afternoon.

GWENDOLEN *(to* JACK*)* : For my sake you are prepared to do this terrible thing ?

JACK : I am.

CECILY *(to* ALGERNON*)* : To please me you are ready to face this fearful ordeal[5] ?

ALGERNON : I am !

GWENDOLEN : How absurd[6] to talk of the equality of the sexes ! Where questions of self-sacrifice[7] are concerned, men are infinitely beyond us.

JACK : We are. (*Clasps hands with* ALGERNON.)

CECILY : They have moments of physical courage[8] of which we women know absolutely nothing.

GWENDOLEN *(to* JACK*)* : Darling !

ALGERNON *(to* CECILY*)* : Darling ! (*They fall into each other's arms.*)

(*Enter* MERRIMAN. *When he enters he coughs loudly, seeing the situation.*)

MERRIMAN : Ahem ! Ahem ! Lady Bracknell.

JACK : Good heavens !

(*Enter* LADY BRACKNELL. *The couples separate in alarm.*)

---

1. **Could we not both...** notez la place de la négation dans la forme non contractée. On dirait **couldn't we both**.
2. **time** : au sens musical de *mesure*. Cf. **to beat time**, *battre la mesure* ; **to keep time**, *rester en mesure*.
3. **insuperable** [ɪn'su:pərəbl], ne s'emploie guère qu'avec des termes comme **barrier**, *obstacle*.
4. **barrier,** ['bærɪə].
5. **ordeal,** ['ɔ:di:l] ; même origine que le français *ordalie, épreuve du feu, de l'eau*, etc., destinée à révéler, s'il en triomphait, l'innocence d'un prévenu ; d'où le sens moderne de *terrible épreuve*.

150

CECILY : Est-ce que nous ne pourrions pas parler en même temps ?

GWENDOLEN : Excellente idée. Je parle presque toujours en même temps que les autres. Voulez-vous que je donne le signal ?

CECILY : Certainement. (GWENDOLEN *bat la mesure de son doigt levé.*)

GWENDOLEN *et* CECILY, *parlant en même temps* : Vos prénoms constituent encore un obstacle infranchissable. C'est tout !

JACK *et* ALGERNON, *parlant en même temps* : Nos prénoms ? C'est tout ? Mais nous allons nous faire baptiser cet après-midi.

GWENDOLEN, à JACK : Pour l'amour de moi ? Vous êtes disposé à faire cette terrible chose ?

JACK : Oui.

CECILY à ALGERNON : Pour me plaire vous êtes prêt à affronter cette épreuve effroyable ?

ALGERNON : Oui.

GWENDOLEN : Quelle absurdité de parler de l'égalité des sexes ! Quand il s'agit de se sacrifier les hommes ont sur nous un avantage infini.

JACK : C'est certain. (*Il serre longuement la main d'*ALGERNON.)

CECILY : Ils font preuve par moments, d'un courage physique qui nous est, à nous, femmes, totalement étranger.

GWENDOLEN à JACK : Chéri !

ALGERNON à CECILY : Chérie ! (*Ils se tombent mutuellement dans les bras.*)

(*Entre* MERRIMAN. *Au moment où il entre, il tousse bruyamment, voyant quelle est la situation.*)

MERRIMAN : Ahem, ahem ! Lady Bracknell.

JACK : Grands dieux !

(*Entre* LADY BRACKNELL. *Les couples, alarmés, se séparent.*)

---

6. **how absurd** : il ne serait pas impossible de traduire par *qu'il est absurde*, cependant on observe que spontanément, dans la langue courante, l'anglais a plutôt tendance à employer un adjectif là où le français utilise un nom abstrait. Par exemple : *j'ai eu de la chance*, **I was lucky**.

7. **self-sacrifice** [self-'sækrɪfaɪs].

8. **courage** ['kʌrɪdʒ].

LADY BRACKNELL : Gwendolen ! What does this mean ?

GWENDOLEN : Merely that I am engaged to be married to Mr Worthing, mamma.

LADY BRACKNELL : Come here. Sit down. Sit down immediately. Hesitation of any kind is a sign of mental decay[1] in the young, of physical weakness in the old. (*Turns to* JACK.) Apprised[2], sir, of my daughter's sudden flight by her trusty[3] maid, whose confidence I purchased by means of a small coin[4], I followed her at once by a luggage train. Her unhappy father is, I am glad to say, under the impression that she is attending a more than usually lengthy[5] lecture by the University Extension Scheme[6] on the Influence of a permanent income on Thought. I do not propose to undeceive him. Indeed I have never undeceived him on any question. I would consider it wrong. But of course, you will clearly understand that all communication between yourself and my daughter must cease immediately from this moment. On this point, as indeed on all points, I am firm.

JACK : I am engaged to be married to Gwendolen, Lady Bracknell !

LADY BRACKNELL : You are nothing of the kind, sir. And now as regards Algernon !... Algernon !

ALGERNON : Yes, Aunt Augusta.

LADY BRACKNELL : May I ask if it is in this house that your invalid friend Mr Bunbury resides[7] ?

ALGERNON (*stammering*) : Oh ! No ! Bunbury doesn't live here. Bunbury is somewhere else at present. In fact, Bunbury is dead.

LADY BRACKNELL : Dead ! When did Mr Bunbury die ? His death must have been extremely sudden.

ALGERNON (*airily*) : Oh ! I killed Bunbury this afternoon. I mean poor Bunbury died this afternoon.

LADY BRACKNELL : What did he die of ?

ALGERNON : Bunbury ? Oh, he was quite exploded[8].

---

1. **decay** [dɪ'keɪ].
2. **apprised of** : manière très solennelle, caractéristique de la rhétorique de **Lady Bracknell**, de dire **informed of**. De même, plus loin, elle emploie **resides** au lieu de **lives**.
3. **trusty**, *sûr(e), fidèle, loyal(e)*.
4. **coin**, *pièce de monnaie*, **to coin** ; *frapper (monnaie)*.
5. **lengthy** : of unusual length.
6. **University Extension Scheme** : cours publics professés à l'intention d'auditeurs extérieurs à l'Université.

LADY BRACKNELL : Gwendolen ! Que signifie ceci ?

GWENDOLEN : Simplement que je suis fiancée à M. Worthing, maman.

LADY BRACKNELL : Viens ici. Assieds-toi. Assieds-toi immédiatement. Toute hésitation est un signe de décadence mentale chez les jeunes, et de faiblesse physique chez les vieux. (*Elle se tourne vers* JACK.) Informée, Monsieur, de la fuite soudaine de ma fille par sa loyale femme de chambre, dont j'ai acheté la confiance au prix d'une petite pièce, je l'ai suivie immédiatement, par un train de marchandises. Son malheureux père, j'ai la joie de le dire, est persuadé qu'elle assiste à un cours exceptionnellement long donné dans le cadre des Cours Publics de l'Université sur l'Influence d'un Revenu Permanent sur la Pensée. Il n'est pas dans mes intentions de le détromper. A la vérité, je ne l'ai jamais détrompé sur quelque question que ce soit. Je considérerais que ce serait un tort. Mais naturellement, vous comprendrez clairement que, dès cet instant même, tout commerce doit cesser entre vous-même et ma fille. Sur ce point, comme sur tous les autres, je suis intraitable.

JACK : Je suis fiancé à Gwendolen, Lady Bracknell.

LADY BRACKNELL : Vous n'êtes rien de la sorte, monsieur. Et maintenant, quant à Algernon !... Algernon !

ALGERNON : Oui, tante Augusta.

LADY BRACKNELL : Puis-je te demander si c'est en cette demeure que réside ton ami malade, M. Bunbury ?

ALGERNON, *bredouillant* : Oh, non ! Bunbury n'habite pas ici. Bunbury est ailleurs, à présent. En fait, Bunbury est mort.

LADY BRACKNELL : Mort ! Quand M. Bunbury est-il mort ? Cela a dû se produire tout à fait subitement.

ALGERNON , *d'un ton détaché* : J'ai tué Bunbury cet après-midi. Je veux dire que ce pauvre Bunbury est mort cet après-midi.

LADY BRACKNELL : De quoi est-il mort ?

ALGERNON : Bunbury ? Oh, complètement volatilisé.

---

7. **resides** [rɪˈzaɪdz], style solennel de **Lady Bracknell** (cf. note 2).
8. **exploded**, voir note 7, p. 138.

LADY BRACKNELL : Exploded ! Was he the victim of a revolutionary outrage[1] ? I was not aware that Mr Bunbury was interested in social legislation. If so[2], he is well punished for his morbidity.

ALGERNON : My dear Aunt Augusta, I mean he was found out[3] ! The doctors found out that Bunbury could not live, that is what I mean — so Bunbury died.

LADY BRACKNELL : He seems to have had great confidence in the opinion of his physicians[4]. I am glad, however, that he made up his mind at the last[5] to some definite course of action, and acted under proper medical advice. And now that we have finally got rid of this Mr Bunbury, may I ask, Mr Worhting, who is that young person whose hand my nephew[6] Algernon is now holding in what seems to me a peculiarly[7] unnecessary manner ?

JACK : That lady is Miss Cecily Cardew, my ward. (LADY BRACKNELL *bows coldly to* CECILY.)

ALGERNON : I am engaged to be married to Cecily, Aunt Augusta.

LADY BRACKNELL : I beg your pardon ?

CECILY : Mr Moncrieff and I are engaged to be married, Lady Bracknell.

LADY BRACKNELL (*with a shiver, crossing to the sofa and sitting down*) : I do not know whether there is anything peculiarly exciting in the air of this particular part of Hertfordshire, but the number of engagements that go on seems to me considerably above the proper average[8] that statistics have laid down for our guidance[9]. I think some preliminary inquiry on my part would not be out of place.

---

1. ▲ **outrage**, *acte de violence* : **an outrage against justice**, *un outrage à la justice* ; **a bomb outrage**, *un attentat à la bombe*. Également *scandale public* : **It's an outrage !** Le français *outrage* se rend par **insult** : *outrage à agent*, **insulting behaviour to a police officer**, *les outrages du temps*, **the ravages of time**.

2. **if so** : if he was interested...

3. **found out** : **to find out**, *découvrir, démasquer, révéler sous son vrai jour*.

4. ▲ **physicians**, ne pas confondre **physician**, *médecin*, et **physicist**, *physicien*.

5. **at the last** = ici **at last**, mais on se souvient que **Chasuble** a utilisé l'expression dans le sens de *derniers instants*.

6. **nephew** ['nevju:].

LADY BRACKNELL : Volatilisé ? A-t-il été victime d'un attentat révolutionnaire ? J'ignorais que M. Bunbury s'intéressait à la législation sociale. S'il en est ainsi, le voilà bien puni de ce penchant morbide.

ALGERNON : Ma chère tante, je veux dire qu'on a découvert son secret. Les docteurs ont découvert que Bunbury ne pouvait pas vivre, voilà ce que je veux dire. C'est ainsi que Bunbury est mort.

LADY BRACKNELL : Il semble avoir accordé une grande confiance à l'opinion de ses médecins. Je suis heureuse, cependant, qu'en fin de compte il se soit décidé à agir, et sur avis médical autorisé. Et maintenant que nous sommes débarrassés de ce M. Bunbury, puis-je savoir, M. Worthing, qui est cette jeune personne dont mon neveu Algernon tient en ce moment la main d'une manière qui ne me semble pas spécialement s'imposer ?

JACK : Cette jeune femme c'est Miss Cecily Cardew, ma pupille.
(LADY BRACKNELL *la salue froidement d'un signe de tête.*)

ALGERNON : Je suis fiancé à Cecily, et je vais l'épouser, tante Augusta.

LADY BRACKNELL : Je te demande pardon ?

CECILY : M. Moncrieff et moi-même sommes fiancés et nous allons nous marier, Lady Bracknell.

LADY BRACKNELL, *prise d'un frisson, se dirige vers le canapé et s'assied* : Je ne sais s'il y a quelque chose de spécialement stimulant dans l'air de cette région particulière du Hertfordshire, mais le nombre de fiançailles qu'on y constate me semble bien supérieur à la moyenne adéquate que les statistiques ont prescrite pour notre gouverne. Je crois qu'une enquête préliminaire de ma part ne serait pas déplacée.

---

7. **peculiarly** : de **peculiar** = **strange, odd**, *(bizarre)* ; mais a aussi le sens de **particularly**. Voir plus bas le jeu sur **peculiarly exciting** et **particular part**.
8. **average** ['ævərɪdʒ], ici substantif. Peut être adjectif. **The average Englishman**, *l'Anglais moyen.*
9. **guidance** ['gaɪdəns].

Mr Worthing, is Miss Cardew at all connected with any of the larger railway stations in London ? I merely desire[1] information. Until yesterday I had no idea that there were any families or persons whose origin was a terminus. (JACK *looks perfectly furious, but restrains himself.*)

JACK (*in a cold, clear voice*) : Miss Cardew is the grand-daughter of the late Mr Thomas Cardew of 149 Belgrave Square, S.W. ; Gervase Park, Dorking, Surrey ; and the Sporran[2], Fifeshire, N.B.[3]

LADY BRACKNELL : That sounds not unsatisfactory. Three addresses always inspire confidence, even in trades-men. But what proof have I of their authenticity[4] ?

JACK : I have carefully preserved the Court Guides[5] of the period. They are open to your inspection, Lady Bracknell.

LADY BRACKNELL (*grimly*) : I have known strange errors in that publication.

JACK : Miss Cardew's family solicitors[6] are Messrs Markby, Markby and Markby.

LADY BRACKNELL : Markby, Markby and Markby ? A firm of the very highest position in their profession. Indeed I am told that one of the Mr Markby's is occasionally to be seen at dinner parties. So far I am satisfied.

JACK (*very irritably*) : How extremely kind of you, Lady Bracknell ! I have also in my possession, you will be pleased to hear, certificates of Miss Cardew's birth, baptism[7], whooping cough, registration, vaccination, confirmation, and the measles[8] ; both the German and the English variety[9].

LADY BRACKNELL : Ah ! A life crowded with incident, I see, though perhaps somewhat too exciting for a young girl. I am not myself in favour of premature experiences. (*Rises, looks at her watch.*)

---

1. **desire** [dɪ'zaɪə].
2. **Sporran**, désigne cette espèce de sac de cuir et fourrure que les Ecossais portent sur le devant du kilt accroché à la ceinture.
3. **N.B.** = North Britain, c'est-à-dire Écosse.
4. **authenticity** ['ɔθentɪsɪtɪ].
5. **Court Guides** : annuaires des personnes présentées à la Cour.
6. **solicitors** : en Angleterre, membres des professions juridiques qui remplissent les fonctions d'avocats (préparation des dossiers) bien qu'ils ne puissent plaider, ce qui est le privilège des **barris-**

M. Worthing, est-ce que Miss Cardew a quelque lien que ce soit avec l'une des grandes gares de chemin de fer de Londres ? Je désire simplement le savoir ; hier encore, j'ignorais totalement que certaines familles ou certaines personnes tirent leur origine d'un terminus. (JACK *a l'air absolument furieux, mais il se contrôle.*)

JACK, *d'une voix froide et claire* : Miss Cardew est la petite-fille du regretté M. Thomas Cardew, du 149 Belgrave Square, Sud-Ouest, de Gervase Park, Dorking, Surrey, et du Sporran, Fifeshire, Ecosse.

LADY BRACKNELL : Voilà qui n'est pas pour déplaire. Trois adresses, cela inspire toujours confiance, même chez un commerçant ; mais qu'est-ce qui me prouve qu'elles sont authentiques ?

JACK : J'ai soigneusement conservé les Annuaires de la Cour de cette époque ; ils vous sont ouverts, Lady Bracknell.

LADY BRACKNELL, *d'un ton sévère* : J'ai vu d'étranges erreurs dans cette publication.

JACK : Les notaires de famille de Miss Cardew sont ces messieurs de l'office Markby, Markby et Markby.

LADY BRACKNELL : Markby, Markby et Markby ? Une maison très cotée. Je crois savoir qu'à l'occasion on voit l'un des MM. Markby dans les dîners en ville. Jusqu'ici, je suis satisfaite.

JACK, *très irrité* : C'est extrêmement aimable à vous, Lady Bracknell. J'ai également en ma possession, vous serez heureuse de l'apprendre, le certificat de naissance de Miss Cardew, ses certificats de baptême, de coqueluche, d'inscription, de vaccination, de confirmation, de grippe anglaise et espagnole.

LADY BRACKNELL : Ah ! Ah ! Une vie riche d'incidents, je le constate, peut-être un peu agitée pour une jeune fille. Mais je ne suis pas, quant à moi, en faveur des expériences prématurées. (*Elle se lève et regarde sa montre.*)

---

ters, et celles de notaires (gestion du patrimoine). Ils se constituent généralement en cabinets (père, fils et associés) si bien qu'ici la raison sociale **Markby, Markby, and Markby** est particulièrement impressionnante.

7. **baptism** ['bæptɪzəm].

8. **measles** ['miːzlz].

9. **the German and the English variety** : en effet, **measles**, *la rougeole* et **German measles**, la *rubéole*. La transposition en *grippe* permet une approximation de ce jeu de mots.

Gwendolen ! The time approaches for our departure[1]. We have not a moment to lose. As a matter of form, Mr Worthing, I had better[2] ask you if Miss Cardew has any little fortune ?

JACK : Oh ! about a hundred and thirty thousand pounds in the Funds[3]. That is all. Good-bye, Lady Bracknell. So pleased to have seen you.

LADY BRACKNELL (*sitting down again*) : A moment, Mr Worthing. A hundred and thirty thousand pounds ! And in the Funds ! Miss Cardew seems to me a most attractive young lady, now that I look at her. Few girls of the present day have any really solid[4] qualities, any of the qualities that last, and improve with time. We live, I regret to say, in an age of surfaces. (*To* CECILY.) Come over here, dear. (CECILY *goes across.*) Pretty child ! Your dress is sadly simple, and your hair seems almost as Nature might have left it. But we can soon alter all that. A thoroughly experienced French maid produces a really marvellous result in a very brief space of time. I remember recommending one to young Lady Lancing, and after three months her own husband did not know her.

JACK : And after six months nobody knew[5] her.

LADY BRACKNELL (*glares at* JACK *for a few moments. Then bends, with a practised smile, to* CECILY) : Kindly turn round, sweet child. (CECILY *turns completely round.*) No, the side view is what I want. (CECILY *presents her profile.*) Yes, quite as I expected. There are distinct social possibilities in your profile[6]. The two weak points in our age are its want of principle and its want[7] of profile. The chin a little higher, dear. Style largely depends on the way the chin is worn. They are worn very high, just at present, Algernon !

---

1. **departure** [dɪ'pɑːtʃə].
2. **I had better**, m. a m. *je ferais mieux* (de vous demander).
3. **Funds** : *emprunts d'État*, considérés comme des placements particulièrement sûrs.
4. **A solid** signifie ici *solide* ou *robuste*. En parlant d'un matériau il signifie *massif*, **solid gold**, *or massif* ; **solid oak**, *chêne massif*. Par extension, **they are solid for Labour**, *ils sont massivement Travaillistes*. **The traffic was jammed solid**, *la circulation était totalement bloquée*.

Gwendolen ! L'heure de notre train approche. Nous n'avons pas un instant à perdre. M. Worthing, il conviendrait, pour la forme, que je vous demande si Miss Cardew a quelque petite fortune.

JACK: Oh, environ cent trente mille livres en Emprunts d'État. C'est tout ; adieu, Lady Bracknell ; ravi de votre visite.

LADY BRACKNELL, *qui se rassied* : Un instant, M. Worthing. Cent trente mille livres ! En Emprunts d'États ! Miss Cardew me sem-ble être une jeune femme bien séduisante, maintenant que je la regarde. Rares sont les jeunes filles aujourd'hui qui aient de solides qualités, de ces qualités durables qui s'améliorent avec le temps. Nous vivons, j'ai le regret de le dire, une époque où tout est apparence. (*À* CECILY.) Venez ici, ma chère. (CECILY *s'approche d'elle.*) Ravissante enfant ! Votre robe est d'une sim-plicité triste, et vos cheveux me semblent en l'état où la nature aurait pu les laisser. Mais nous pourrons rapidement changer cela. L'expérience confirmée d'une femme de chambre fran-çaise produit des résultats vraiment merveilleux en très peu de temps. Je me souviens en avoir recommandé une à la jeune Lady Lancing, et trois mois plus tard son propre mari ne la reconnaissait plus.

JACK : Et six mois après plus personne ne la connaissait.

LADY BRACKNELL *fixe pendant quelques instants sur* JACK *un regard furieux, puis, avec un sourire étudié, se penche vers* CECILY : Ayez l'obligeance de vous tourner, douce enfant. (CECILY *fait un tour complet.*) Non c'est la vue de côté qui m'intéresse. (CECILY *se met de profil.*) C'est tout à fait ce à quoi je m'atten-dais. Il y a d'évidentes promesses de réussite mondaine dans votre profil. Être sans principes et sans profil sont les deux fai-blesses de notre âge. Le menton un peu plus haut, ma chère. La classe dépend en grande part de la manière dont on porte le menton. Il se porte très haut en ce moment, Algernon !

---

5. **knew her** : Wilde joue sur les deux acceptions de **know** en l'occurrence : *reconnaître* (**her own husband did not know her**) et *connaître*.

6. **profile** ['prəʊfaɪl].

7. **want** : ici, *manque*.

ALGERNON : Yes, Aunt Augusta !

LADY BRACKNELL : There are distinct social possibilities[1] in Miss Cardew's profile.

ALGERNON : Cecily is the sweetest, dearest, prettiest girl in the whole world. And I don't care twopence[2] about social possibilities.

LADY BRACKNELL : Never speak disrespectfully of Society, Algernon. Only people who can't get into it do that. (*To* CECILY.) Dear child of course you know that Algernon has nothing but his debts[3] to depend upon. But I do not approve of mercenary[4] marriages. When I married Lord Bracknell I had no fortune of any kind. But I never dreamed for a moment of allowing that to stand in my way[5]. Well, I suppose I must give my consent[6].

ALGERNON : Thank you, Aunt Augusta.

LADY BRACKNELL : Cecily, you may kiss me !

CECILY (*kisses her*) : Thank you, Lady Bracknell.

LADY BRACKNELL : You may also address[7] me as Aunt Augusta for the future[8].

CECILY : Thank you, Aunt Augusta.

LADY BRACKNELL : The marriage, I think, had better take place quite soon.

ALGERNON : Thank you, Aunt Augusta.

CECILY : Thank you, Aunt Augusta.

LADY BRACKNELL : To speak frankly, I am not in favour[9] of long engagements. They give people the opportunity of finding out each other's character before marriage, which I think is never advisable[10].

JACK : I beg your pardon for interrupting you, Lady Bracknell, but this engagement is quite out of the question. I am Miss Cardew's guardian, and she cannot marry without my consent until she comes of age[11]. That consent I absolutely decline[12] to give.

---

1. **social possibilities** : il s'agit de la haute société, **Society** avec un grand **S**, comme dit **Lady Bracknell**, et non de l'actuelle perspective de promotion sociale.
2. Δ **twopence** ['tʌpəns].
3. **debts** [dets].
4. **mercenary**, ici adjectif, dans le sens de *intéressé*.
5. **to stand in my way**, « me barrer le passage ».
6. **consent** [kən'sent].
7. **address me** ; **to address**, *adresser la parole à* : pas de préposition en anglais.

ALGERNON : Oui, tante Augusta.

LADY BRACKNELL : Il y a d'évidentes promesses de réussite mondaine dans le profil de Miss Cardew.

ALGERNON : Cecily est la jeune fille la plus douce, la plus chère, la plus jolie du monde, et je me moque comme d'une guigne de ses promesses mondaines.

LADY BRACKNELL : Ne témoignez jamais d'irrespect dans vos propos vis à vis du monde et de la société, Algernon. Seuls ceux qui ne peuvent en faire partie parlent ainsi. Ma chère enfant, vous savez, naturellement, qu'Algernon ne peut compter sur rien d'autre que ses dettes. Mais je n'approuve pas les mariages mercenaires. Lorsque j'ai épousé Lord Bracknell je n'avais aucune fortune ; mais pas un seul instant je n'ai songé à considérer cela comme un obstacle. Eh bien, je suppose que je dois donner mon consentement.

ALGERNON : Merci, tante Augusta.

LADY BRACKNELL : Cecily, vous pouvez m'embrasser.

CECILY, *l'embrassant* : Merci, Lady Bracknell.

LADY BRACKNELL : Désormais vous pouvez aussi m'appeler tante Augusta.

CECILY : Merci, tante Augusta.

LADY BRACKNELL : Il conviendrait, à mon avis, que ce mariage ait lieu sans tarder.

ALGERNON : Merci, tante Augusta.

CECILY : Merci, tante Augusta.

LADY BRACKNELL : En vérité je n'approuve pas les longues fiançailles. Elles permettent de découvrir quelle est la personnalité de l'autre avant le mariage, ce qui ne me paraît pas souhaitable.

JACK : Pardon de vous interrompre, Lady Bracknell, mais ce mariage est absolument hors de question. Je suis le tuteur de Miss Cardew, et elle ne peut se marier sans mon consentement avant d'être majeure. Et je refuse catégoriquement ce consentement.

---

8. **the future** ['fjuːtʃə], *l'avenir*. C'est abusivement que le français parlerait ici de *futur*. Notez l'emploi de l'article **the** dans les expressions **the present, the past, the future**.

9. **favour** ['feɪvə].

10. **advisable** [əd'vaɪzəbl].

11. **comes of age** : to come of age, *atteindre la majorité*.

12. **decline** [dɪ'klaɪn].

LADY BRACKNELL : Upon what grounds[1], may I ask ? Algernon is an extremely, I may almost say an ostentatiously[2] eligible[3] young man. He has nothing, but he looks everything. What more can one desire ?

JACK : It pains me very much to have to speak frankly to you, Lady Bracknell, about your nephew, but the fact is that I do not approve at all of his moral character. I suspect him of being untruthful.

(ALGERNON *and* CECILY *look at him in indignant amazement*)

LADY BRACKNELL : Untruthful ! My nephew Algernon ? Impossible ! He is an Oxonian[4].

JACK : I fear there can be no possible doubt about the matter. This afternoon during my temporary absence in London on an important question of romance, he obtained admission to my house by means of the false pretence[5] of being my brother. Under an assumed name he drank, I've just been informed by my butler, an entire pint bottle of my Perrier-Jouet Brut '89 ; wine I was specially reserving for myself. Continuing his disgraceful deception, he succeeded in the course of the afternoon in alienating the affections of my only ward. He subsequently stayed to tea, and devoured every single muffin. And what makes his conduct all the more[6] heartless is that he was perfectly well aware from the first that I have no brother, that I never had a brother, and that I don't intend to have a brother, not even of any kind. I distinctly told him so myself yesterday afternoon.

LADY BRACKNELL : Ahem ! Mr Worthing, after careful consideration I have decided entirely to overlook[7] my nephew's conduct to you.

---

1. **grounds** : généralement au pluriel dans le sens de *motifs, raisons*. **On personal grounds**, *pour des raisons personnelles*. Cf. l'adjectif **ungrounded**, *sans fondement* : **ungrounded fears**, *des craintes sans fondement*.

2. **ostentatiously** [ɒstenˈteɪʃəslɪ].

3. **eligible** [ˈelɪdzəbl].

4. **Oxonian** : qui sort de l'Université d'Oxford.

5. **pretence** : de **to pretend**, dans le sens de *se faire passer pour*, *faire semblant de*. **Algernon pretended he was Jack's brother**, *Algernon se faisait passer pour le frère de Jack*.

6. **Δ all the more**, *d'autant plus. D'autant plus... que*, **all the more** (ou comparatif en **er**) ...**as**, ou **since**, ou **because** suivis d'une proposition, ou **all the** + comparatif suivi de **for** + nom. Ex. : **His con-**

LADY BRACKNELL : Et pour quelles raisons, puis-je savoir ? Algernon est un extrêmement, je puis presque dire un ostensible-
ment bon parti. Il n'a rien, mais toutes les apparences sont pour
lui. Que souhaiter de plus ?

JACK : Il m'est très pénible, Lady Bracknell, de devoir vous parler franchement de votre neveu, mais le fait est que je
n'approuve pas du tout sa moralité. Je le soupçonne d'être
hypocrite.

(ALGERNON *et* CECILY *le regardent avec un étonnement indigné.*)

LADY BRACKNELL : Hypocrite, mon neveu Algernon ? C'est impossible, il sort d'Oxford.

JACK : Je crains qu'il ne soit guère possible d'en douter. Cet
après-midi, durant mon absence temporaire à Londres où
m'appelait une importante affaire de cœur, il s'est fait admet-
tre chez moi en se faisant fallacieusement passer pour mon
frère. Sous un nom d'emprunt il a bu, comme vient de m'en
informer mon maître d'hôtel, une demi-bouteille entière de mon
Perrier-Jouet Brut 89, que je réservais à ma consommation personnelle. Persistant dans cette honteuse supercherie, il a réussi,
au cours de l'après-midi, à égarer les sentiments de mon unique pupille. Il est ensuite resté pour prendre le thé, et a dévoré
tous les muffins jusqu'au dernier. Et ce qui rend son comportement d'autant plus cruel, c'est qu'il savait pertinemment dès
le début que je n'ai pas de frère, pas même d'aucune sorte.
Je le lui avais clairement dit moi-même hier après-midi.

LADY BRACKNELL : Hm ! M. Worthing, après mûre considération,
j'ai décidé de ne pas tenir le moindre compte de la conduite
de mon neveu envers vous.

---

duct was all the more heartless as he was aware... His conduct
was all the more heartless for his awareness..., *sa conduite était
d'autant plus cruelle qu'il savait...* On a donc le système suivant :
**(all) the + comparatif + as/since/because + groupe verbal for
+ nom.** Il faut observer aussi comment ce système fonctionne à
la forme interrogative et négative. La phrase **he slept all the better for the new drug** pourrait répondre à la question **did he sleep
any better ?** ce qui montre que **the**, remplacé par **any**, n'est pas
un article, mais un adverbe amenant le comparatif. On dira à la
forme négative, **he slept none the better.**

7. **to overlook**, ici *ne pas tenir compte de, passer sur, négliger* ;
également *avoir vue sur.*

JACK : That is very generous of you, Lady Bracknell. My own decision, however, is unalterable. I decline to give my consent.

LADY BRACKNELL (*to* CECILY) : Come here, sweet child. (CECILY *goes over.*) How old are you, dear ?

CECILY : Well, I am really only eighteen, but I always admit to[1] twenty when I go to evening parties.

LADY BRACKNELL : You are perfectly right in making[2] some slight alteration. Indeed, no woman should ever be quite accurate[3] about her age. It looks so calculating... (*In a meditative manner.*) Eighteen, but admiting to twenty at evening parties. Well, it will not be very long before you are of age and free from the restraints of tutelage[4]. So I don't think your guardian's consent is, after all, a matter of any importance.

JACK : Pray excuse me, Lady Bracknell, for interrupting you again, but it is only fair to tell you that according to the terms of her grandfather's will Miss Cardew does not come legally of age till she is thirty-five[5].

LADY BRACKNELL : That does not seem to me to be a grave objection. Thirty-five is a very attractive age. London society is full of women of the very highest birth who have, of their own free choice, remained thirty-five for years. Lady Dumbleton is an instance in point[6]. To my own knowledge she has been thirty-five ever since she arrived at the age of forty, which was many years ago now. I see no reason why our dear Cecily should not be even still more[7] attractive at the age you mention than she is at present. There will be a large accumulation of property[8].

CECILY : Algy, could you wait for me till I was thirty-five ?[9]

---

1. **△ admit to**, ici *avouer*. Notez les différentes constructions de **admit** :
a) **to admit** + complément, *laisser entrer* ; **children not admitted**, *interdit aux enfants.*
·b) **to admit that**, *reconnaître* ; **I admit that I was wrong**, *je reconnais que j'ai eu tort.*
c) **admit of** : surtout dans des constructions comme **it admits of no excuse**, *cela est inexcusable.*
2. **you are right in** + **ing** : *vous avez raison de.*
3. **accurate** ['ækjurit].
4. **tutelage** ['tu:tilidʒ].
5. **till she is thirty-five** m. à m. : *"jusqu'à ce qu'elle ait 35 ans".*
6. **an instance in point** = a good example of it.

JACK : C'est très généreux de votre part, Lady Bracknell ; ma décision, cependant, est inébranlable. Je refuse de donner mon consentement.

LADY BRACKNELL, à CECILY : Venez ici, ma douce enfant. (CECILY *s'approche d'elle.*) Quel âge avez-vous ma chère ?

CECILY : Eh bien, en vérité je n'ai que dix-huit ans, mais j'en avoue toujours vingt quand je suis invitée à une soirée.

LADY BRACKNELL : Vous avez parfaitement raison de modifier légèrement votre âge. Aucune femme, en fait, ne devrait dire précisément quel âge elle a. Cela semble procéder d'un tel esprit de calcul !... (*Sur un ton méditatif.*) Dix-huit, mais en avoue vingt lorsqu'elle est en soirée. Eh bien, il n'y a pas longtemps à attendre pour que vous soyez majeure, et libérée des contraintes de la tutelle. Je ne pense donc pas que le consentement de votre tuteur ait, après tout, la moindre importance.

JACK : Permettez-moi de vous interrompre de nouveau, Lady Bracknell, mais je dois en toute honnêteté, vous dire que selon les termes du testament de son grand-père Miss Cardew ne sera légalement majeure qu'à l'âge de trente-cinq ans.

LADY BRACKNELL : Cela ne me semble pas constituer une objection sérieuse. Trente-cinq ans, c'est un âge très séduisant. La bonne société londonienne est peuplée de femmes d'excellente naissance qui de leur plein gré ont eu trente-cinq ans pendant des années. Lady Dumbleton en est un exemple. A ma connaissance elle a trente-cinq ans depuis qu'elle a atteint l'âge de quarante ans, et c'était il y a bien longtemps. Je ne vois aucune raison pour laquelle notre chère Cecily ne serait pas encore plus séduisante à l'âge que vous indiquez qu'elle ne l'est aujourd'hui. Il y aura une accumulation considérable de biens.

CECILY : Algy, pourriez-vous attendre que j'aie trente-cinq ans ?

---

7. **still more** : still (ou even) + comparatif = *encore plus*.

8. **property** : **Lady Bracknell** a fait mentalement le calcul de ce que rapporteront, pendant ce temps, les placements de **Cecily**, qui sont à ses yeux, comme elle l'a dit, ses premières qualités.

9. **was thirty-five** : m. à m. « *jusqu'à ce que j'aie trente-cinq ans* ».

ALGERNON : Of course I could, Cecily. You know I could.

CECILY : Yes, I felt it instinctively, but I couldn't wait all that time. I hate waiting even five minutes for anybody. It always makes me rather cross[1]. I am not punctual[2] myself, I know, but I do like punctuality in others, and waiting, even to be married, is quite out of the question.

ALGERNON : Then what is to be done[3], Cecily ?

CECILY : I don't know, Mr Moncrieff.

LADY BRACKNELL : My dear Mr Worthing, as Miss Cardew states positively that she cannot wait till she is thirty-five — a remark which I am bound to say seems to me to show a somewhat impatient nature — I would beg of you to reconsider your decision.

JACK : But my dear Lady Bracknell, the matter is entirely in your own hands. The moment you consent to my marriage with Gwendolen, I will most gladly allow your nephew to form an alliance[4] with my ward.

LADY BRACKNELL (*rising and drawing herself up*) : You must be quite aware that what you propose is out of the question.

JACK : Then a passionate celibacy is all that any of us can look forward to.

LADY BRACKNELL : That is not the destiny I propose for Gwendolen. Algernon, of course, can choose for himself. (*Pulls out her watch.*) Come, dear (GWENDOLEN *rises*), we have already missed five, if not six, trains. To miss any more might expose us to comment[5] on the platform.

(*Enter* DR CHASUBLE)

CHASUBLE : Everything is quite ready for the christenings.

LADY BRACKNELL : The christenings, sir ! Is not that somewhat premature[6] ?

CHASUBLE (*looking rather puzzled, and pointing to* JACK *and* ALGERNON) : Both these gentlemen have expressed a desire for immediate baptism.

---

1. Δ **cross** : *de mauvaise humeur, fâché*. Ne pas confondre avec **crossed** (to cross, *contrarier, contrecarrer*) ; par exemple **crossed in love**, *malheureux en amour*.

2. **punctual** ['pʌŋktjʊəl].

3. **what is to be done**, to be to peut être décrit comme un futur de convention : *que convient-il de faire ?* La traduction par l'infinitif a l'avantage de ne pas exiger de modalité (devoir faire, pou-

ALGERNON : Certainement, Cecily. Vous le savez bien.

CECILY : Oui, je le sentais instinctivement, mais moi je ne pourrais pas attendre si longtemps. Je déteste attendre quelqu'un,
   ne serait-ce que cinq minutes. Cela m'agace toujours. Je ne suis
   pas ponctuelle moi-même, je le sais, mais j'aime la ponctualité
   chez les autres, si bien qu'attendre, même pour me marier, est
   totalement exclu.

ALGERNON : Mais alors que faire, Cecily ?

CECILY : Je n'en·sais rien, M. Moncrieff.

LADY BRACKNELL : Cher M. Worthing, puisque Miss Cardew
   déclare sans ambiguïté qu'elle ne peut attendre d'avoir trente-
   cinq ans — ce qui, je dois le dire, me paraît révéler une nature
   un peu impatiente — je vous prierais de bien vouloir reconsi-
   dérer votre décision.

JACK : Mais, chère Lady Bracknell, le problème est entièrement
   entre vos mains. Dès que vous consentirez à ce que j'épouse
   Gwendolen, je serai très heureux d'autoriser votre neveu à
   s'allier à ma pupille.

LADY BRACKNELL, *se levant dans toute sa dignité* : Vous devez vous
   rendre compte que ce que vous proposez est totalement exclu.

JACK : Alors tout ce que chacun d'entre nous peut espérer, c'est
   un célibat passionné.

LADY BRACKNELL : Ce n'est pas le destin que je réserve à Gwendolen. Algernon, lui, est naturellement libre de son choix. (*Elle
   sort sa montre.*) Viens ma chérie. (GWENDOLEN *se lève.*) Nous
   avons déjà manqué cinq trains, si ce n'est pas six. En manquer
   d'autres risquerait de nous exposer à certains commentaires
   sur le quai.

(*Entre le Recteur* CHASUBLE.)

CHASUBLE : Tout est en place pour les baptêmes.

LADY BRACKNELL : Les baptêmes, monsieur ! N'est-ce pas un peu
   prématuré ?

CHASUBLE, *l'air assez embarrassé, désignant* JACK *et* ALGERNON :
   Ces deux messieurs ont exprimé le désir d'être immédiatement
   baptisés.

---

voir faire).
4. **alliance** [ə'laɪəns].
5. **comment** ['komant], to comment that + verbe et to comment
on something.
6. **premature** ['premətʃʊə].

LADY BRACKNELL : At their age ? The idea is grotesque and irreligious ! Algernon, I forbid you to be baptized. I will not hear of such excesses[1]. Lord Bracknell would be highly displeased if he learned that that was the way in which you wasted your time and money.

CHASUBLE : Am I to understand then that there are to be no christenings at all this afternoon ?

JACK : I don't think that, as things are now, it would be of much practical value to either of us, Dr Chasuble.

CHASUBLE : I am grieved[2] to hear such sentiments[3] from you, Mr Worthing. They savour of the heretical views[4] of the Anabaptists, views that I have completely refuted in four of my unpublished sermons. However, as your present mood seems to be one peculiarly secular[5], I will return to the church at once. Indeed, I have just been informed by the pew-opener[6] that for the last hour and a half Miss Prism has been waiting for me in the vestry.

LADY BRACKNELL (*starting*) : Miss Prism ! Did I hear you mention a Miss Prism ?

CHASUBLE : Yes, Lady Bracknell. I am on my way to join her.

LADY BRACKNELL : Pray allow me to detain you for a moment. This matter may prove[7] to be one of vital importance to Lord Bracknell and myself. Is this Miss Prism a female[8] of repellent[9] aspect, remotely connected with education ?

CHASUBLE (*somewhat indignantly*) : She is the most cultivated of ladies, and the very picture of respectability.

---

1. **excesses** [ɪk'sesɪz].
2. **grieved** [gri:vd].
3. **sentiments** ['sentimənts].
4. **the heretical views of the Anabaptists** : les *Anabaptistes*, secte réformée apparue en Suisse au XVIe siècle, contestent la validité du baptême des enfants et n'administrent le baptême qu'aux adultes.
5. Δ **secular** : au sens religieux *séculier*, qui n'est pas soumis aux règles, et par extension, *laïque, profane*. Le français *séculaire* se rendrait par **age-old**, ou **one-century-old** s'il s'agit de l'âge précis.
6. **pew-opener** : **pew** = *banc d'église* et aussi espace clos où sont disposés les bancs réservés à certaines familles.

LADY BRACKNELL : À leur âge ? Cette idée est grotesque et contraire à la religion. Algernon, je t'inderdis de te faire baptiser. Je ne veux pas entendre parler de ces excès. Lord Bracknell serait très mécontent s'il apprenait que c'est ainsi que tu dilapides ton temps et ton argent.

CHASUBLE : Dois-je comprendre qu'il n'y aura pas de baptême cet après-midi ?

JACK : Les choses étant ce qu'elles sont, je ne pense pas que cela présenterait un grand intérêt pratique pour l'un ou l'autre d'entre nous, M. le Recteur.

CHASUBLE : Cela m'afflige de vous entendre exprimer ces sentiments, M. Worthing. Cela sent l'hérésie anabaptiste, hérésie que j'ai complètement réfutée dans quatre de mes sermons non publiés. Cependant puisque vous êtes pour l'instant d'humeur si profane, je m'en vais retourner de ce pas à l'église. En vérité, le bedeau vient de m'informer que depuis une heure et demie Miss Prism m'attend à la sacristie.

LADY BRACKNELL, *sursautant* : Miss Prism ! Vous ai-je entendu dire Miss Prism ?

CHASUBLE : Effectivement, Lady Bracknell. Je m'en vais la rejoindre.

LADY BRACKNELL : Permettez-moi, je vous prie, de vous retenir un instant. Voilà une chose qui va peut-être se révéler d'une importance capitale pour Lord Bracknell et moi-même. Cette Miss Prism n'est-elle pas une créature d'aspect rébarbatif, ayant de très vagues rapports avec l'éducation ?

CHASUBLE, *avec une certaine indignation* : C'est une dame extrêmement cultivée, et l'image même de la respectabilité.

---

7. △ **prove + to be** ou + adjectif = *s'avérer*. **The information proved correct**, *les renseignements se sont avérés exacts*.
8. **female**, employé ici comme substantif, prend un sens péjoratif, que **Chasuble** relèvera en répondant par **lady**.
9. **repellent** [rɪ'pelant] ; on peut également dire **repulsive**. **Repellent** est également employé comme substantif : **insect-repellent**, *produit anti-insecte*.

LADY BRACKNELL : It is obviously the same person. May I ask what position she holds in your household ?

CHASUBLE (*severely*) : I am a celibate[1], madam.

JACK (*interposing*) : Miss Prism, Lady Bracknell, has been for the last three years Miss Cardew's esteemed governess and valued companion.

LADY BRACKNELL : In spite of what I hear of her, I must see her at once. Let her be sent for[2].

CHASUBLE (*looking off*) : She approaches ; she is nigh[3].

(*Enter* MISS PRISM *hurriedly.*)

MISS PRISM : I was told you expected me in the vestry, dear Canon. I have been waiting[4] for you there for an hour and three-quarters. (*Catches sight of* LADY BRACKNELL, *who has fixed her with a stony glare.* MISS PRISM *grows pale and quails[5]. She looks anxiously round as if desirous to escape.*)

LADY BRACKNELL (*in a severe, judicial voice*) : Prism ! (MISS PRISM *bows[6] her head in shame.*) Come here, Prism ! (MISS PRISM *approaches in a humble manner.*) Prism ! Where is that baby ? (*General consternation. The Canon starts back in horror.* ALGERNON *and* JACK *pretend to be anxious to shield[7]* CECILY *and* GWENDOLEN *from hearing the details of a terrible public scandal.*) Twenty-eight years ago, Prism, you left Lord Bracknell's house, number 104, Upper Grosvenor[8] Square, in charge of a perambulator[9] that contained a baby of the male sex. You never returned. A few weeks later, through the elaborate[10] investigations of the Metropolitan police, the perambulator was discovered at midnight standing by itself in a remote corner of Bayswater[11].

---

1. **celibate** ['selibɪt].
2. **let her be sent for** : **Lady Bracknell**, malgré son autorité, ne peut aller jusqu'à donner un ordre à **Jack** ou à **Chasuble**, d'où l'emploi de cet impératif passif.
3. **nigh** : archaïque et littéraire pour **near** ; se rencontre encore associé à **well** : **well-nigh**, *presque*. Avec cette double remarque de **Chasuble**, **Wilde** souligne avec humour l'artifice comique éprouvé qui consiste à faire entrer un personnage au moment où le besoin s'en fait sentir.
4. **waiting** : la différence entre **expect** et **wait** apparaît dans les deux exemples suivants. **I'm expecting them for dinner**, *je les attends à dîner* (événement prévu) et **I'll wait for them until two**, *je les attendrai jusqu'à deux heures* (laisser le temps passer).

LADY BRACKNELL : Il s'agit évidemment de cette même personne. Puis-je vous demander quelle situation elle occupe dans votre maison ?

CHASUBLE, *d'un ton sévère* : Je suis célibataire, madame.

JACK, *s'interposant* : Miss Prism, Lady Bracknell, est depuis trois ans la gouvernante et la compagne estimée de Miss Cardew.

LADY BRACKNELL : En dépit de ce que j'apprends sur son compte, il faut que je la voie immédiatement. Qu'on l'envoie chercher.

CHASUBLE, *regardant dehors* : Elle vient, elle approche.

(*Entre* MISS PRISM, *précipitamment.*)

MISS PRISM : On m'a dit que vous vouliez me voir à la sacristie, mon cher Recteur. Je vous y ai attendu une heure trois quarts. (*Elle aperçoit* LADY BRACKNELL, *qui a fixé sur elle un regard de pierre.* MISS PRISM *pâlit, décontenancée. Elle jette des regards inquiets autour d'elle, comme si elle cherchait à s'échapper.*)

LADY BRACKNELL, *d'une voix sévère de juge* : Prism ! (MISS PRISM *baisse honteusement la tête.*) Venez ici, Prism ! (MISS PRISM *s'approche humblement.*) Prism, où est le bébé ? (*Consternation générale. Le Chanoine recule soudain épouvanté.* ALGERNON *et* JACK *font mine de protéger* CECILY *et* GWENDOLEN *pour leur éviter d'entendre les détails d'un terrible scandale public.*) Il y a vingt-huit ans, Prism, vous avez quitté la demeure de Lord Bracknell, numéro 104, Upper Grosvenor Square. On vous avait confié une voiture d'enfant dans laquelle se trouvait un bébé du sexe masculin. Vous n'êtes jamais revenue. Quelques semaines plus tard, grâce aux investigations minutieuses de la Police Métropolitaine, la voiture fut découverte à minuit, abandonnée seule dans un endroit lointain de Bayswater.

---

5. **quail** : *perdre courage.* Rien à voir avec **a quail**, une *caille.* [kweɪl].

6. **bows** [baʊz].

7. **shield** [ʃiːld].

8. **Upper Grosvenor** [ˈʌpə ˈgrəʊvnə].

9. **perambulator** : généralement abrégé en **pram** (*voiture d'enfant*).

10. **△ elaborate** : *complexe, minutieux, soigné, raffiné.* **To elaborate on** (ou **upon**) **a subject**, *donner des détails, développer un sujet.* **Can you elaborate upon this ?** *Pouvez-vous développer ce point ?*

11. **Bayswater** : quartier au nord de Kensington Gardens, près de la gare de Paddington, donc loin de la gare Victoria.

It contained the manuscript of a three-volume novel of more than usually revolting sentimentality. (MISS PRISM *starts in involuntary indignation.*) But the baby was not there. (*Every one looks at* MISS PRISM.) Prism ! Where is that baby ? (*A pause.*)

MISS PRISM : Lady Bracknell, I admit with shame that I do not know. I only wish I did. The plain facts of the case are these. On the morning of the day you mention, a day that is for ever branded[1] on my memory, I prepared as usual to take the baby out in its[2] perambulator. I had also with me a somewhat old, but capacious[3] handbag in which I had intended to place the manuscript of a work of fiction that I had written during my few unoccupied hours. In a moment of mental abstraction[4], for which I can never forgive myself, I deposited the manuscript in the bassinette[5] and placed the baby in the hand-bag.

JACK (*who had been listening attentively*) : But where did you deposit the hand-bag ?

MISS PRISM : Do not ask me, Mr Worthing.

JACK : Miss Prism, this is a matter of no small importance to me. I insist on knowing where you deposited the hand-bag that contained that infant[6].

MISS PRISM : I left it in the cloak-room of one of the larger railway stations in London.

JACK : What railway station ?

MISS PRISM (*quite crushed*) : Victoria. The Brighton line. (*Sinks into a chair.*)

JACK : I must retire to my room for a moment[7]. Gwendolen, wait here for me.

GWENDOLEN : If you are not too long, I will wait here for you all my life. (*Exit* JACK *in great excitement.*)

---

1. **branded** : de **brand** dans son sens premier de *marque au fer rouge*. Au sens figuré ; *stigmatise*. He was **branded** as a traitor : *On stigmatisa sa trahison*. Cf. aussi **brand**, *marque* (commerciale) et **brand-new**, *tout neuf* (comme quelque chose qui vient de recevoir la marque de fabrique).
2. **its perambulator**, on peut considérer **baby** comme un neutre, d'où l'emploi de **its**.
3. **capacious** [kəˈpeɪʃəs].
4. **abstraction** : pataquès de **Miss Prism** pour **aberration**.
5. **bassinette**, ou aujourd'hui **bassinet**, signifie plus particulièrement un *berceau en osier*.

On y trouva le manuscrit d'un roman en trois volumes d'un sentimentalisme plus révoltant que d'ordinaire. (MISS PRISM *sursaute involontairement sous l'effet de l'indignation*.) Mais il n'y avait point de bébé. (*Chacun des personnages regarde* MISS PRISM.) Prism ! Où est ce bébé ? (*Silence*.)

MISS PRISM : Lady Bracknell, j'avoue à ma grande honte que je l'ignore. Si seulement je le savais ! Voici quels sont simplement les faits. Le matin de ce jour dont vous parlez, jour à jamais gravé douloureusement dans ma mémoire, je m'apprêtais, comme d'habitude, à sortir le bébé dans sa voiture d'enfant. J'avais également un sac à main, un vieux sac, mais de grande capacité dans lequel j'avais l'intention de mettre le manuscrit d'une œuvre d'imagination que j'avais écrite au cours de mes rares heures d'inoccupation. Dans un moment d'abstraction mentale que je ne me pardonnerai jamais, j'ai déposé le manuscrit dans le landau et mis le bébé dans le sac.

JACK, *qui l'écoute attentivement* : Mais où avez-vous déposé le sac ?

MISS PRISM : Ne me le demandez pas, M. Worthing.

JACK : Miss Prism, c'est un point qui n'est pas de moindre importance. Je tiens absolument à savoir où vous avez déposé le sac qui contenait cet enfant.

MISS PRISM : Je l'ai laissé à la consigne de l'une des grandes gares de Londres.

JACK : Quelle gare ?

MISS PRISM, *complètement effondrée* : Victoria ; ligne de Brighton. (*Elle se laisse tomber dans un fauteuil*.)

JACK : Il faut que je me retire un instant dans ma chambre. Gwendolen, attendez-moi ici.

GWENDOLEN : Si vous ne tardez pas trop, je vous attendrai ici toute ma vie. (JACK *sort, en proie à une vive agitation*.)

---

6. **infant** désigne en anglais un *nouveau-né* (ici **baby**) ou un enfant en bas-âge. Sauf en terme de droit où il signifie *mineur*.
7. **I must retire to my room for a moment** : notez l'ordre des compléments de lieu et de temps.

CHASUBLE : What do you think this means, Lady Bracknell ?

LADY BRACKNELL : I dare not even suspect, Dr Chasuble. I need hardly tell you that in families of high position strange coincidences are not supposed to occur[1]. They are hardly considered the thing[2].

(Noises heard overhead as if some one was throwing trunks about. Every one looks up.)

CECILY : Uncle Jack seems strangely agitated.

CHASUBLE : Your guardian has a very emotional nature.

LADY BRACKNELL : This noise is extremely unpleasant. It sounds as if he was having an argument. I dislike arguments[3] of any kind. They are always vulgar, and often convincing.

CHASUBLE *(looking up)* : It has stopped now. *(The noise is redoubled.)*

LADY BRACKNELL : I wish he would arrive[4] at some conclusion.

GWENDOLEN : This suspense[5] is terrible. I hope it will last.

(Enter JACK *with a hand-bag of black leather in his hand.)*

JACK *(rushing over to* MISS PRISM*)* : Is this the hand-bag, Miss Prism ? Examine it carefully before you speak. The happiness of more than one life[6] depends on your answer.

---

1. **occur** [əˈkɜ:].
2. **the thing** : the done thing, ou encore **the thing to do**, *ce qui se fait, ce qui est convenable.*
3. Δ **argument** : **Wilde** joue ici très subtilement sur les différents sens du terme, et en particulier sur **to have an argument. To have an argument** ; *se disputer* ; on dira même d'un automobiliste maladroit, par exemple, **he has had an argument with a tree,** *il s'est bagarré avec un arbre.* En fait **he is having an argument** peut également être entendu ici dans le sens littéral : *il est en train d'avoir (= de trouver) un argument* pour démontrer, prouver qu'il est l'enfant dont il a été jusqu'ici question. La traduction tient compte du fait que ces commentaires de **Lady Bracknell** sont inspirés par le bruit qu'elle entend.
4. Δ **he would arrive at**, on pourrait dire aussi **he would come to a conclusion.**
5. **suspense** : attente, dans l'incertitude, d'une décision ou d'un dénouement, peut parfaitement être traduit par le mot français qu'employaient déjà les classiques, *suspens.*

CHASUBLE : Que signifie tout ceci, à votre avis, Lady Bracknell ?

LADY BRACKNELL : Je n'ose même pas le soupçonner, M. le Recteur. Je n'ai guère besoin de vous dire que dans les familles ayant une haute position des coïncidences étranges ne sont pas censées se produire. Cela n'est guère admis.

(On entend du bruit au-dessus, comme si quelqu'un traînait des coffres. Ils lèvent tous les yeux.)

CECILY : Oncle Jack semble saisi d'une agitation étrange.

CHASUBLE : Votre tuteur est d'un tempérament très émotif.

LADY BRACKNELL : Ce bruit est extrêmement désagréable. On dirait qu'il s'est pris de querelle et qu'il a trouvé un argument de poids. J'ai horreur des disputes et arguments quels qu'ils soient. Ils sont toujours vulgaires et souvent convaincants.

CHASUBLE, *regardant au plafond* : Ah, cela s'arrête. *(Le bruit redouble d'intensité.)*

LADY BRACKNELL : J'aimerais bien qu'il se décide à conclure.

GWENDOLEN : Ce suspens est terrible. J'espère qu'il va se prolonger.

(JACK entre, un sac de cuir noir à la main.)

JACK, *se précipitant vers* MISS PRISM : Est-ce que c'est bien ce sac, Miss Prism ? Examinez-le avec soin, avant de répondre. Le bonheur de plusieurs personnes dépend de ce que vous allez dire.

---

6. **The happiness of more than one life** : la traduction littérale serait *« le bonheur de plus d'une vie »*, ce qui n'est guère satisfaisant en français. D'où la nécessité d'adopter la transposition de **more than one life** en *plusieurs personnes*.

MISS PRISM (*calmly*) : It seems to be mine. Yes, here is the injury[1] it received through the upsetting of a Gower Street[2] omnibus in younger and happier days. Here is the stain on the lining caused by the explosion of a temperance beverage[3], an incident that occurred at Leamington. And here, on the lock, are my initials. I had forgotten that in an extravagant mood I had had them placed there. The bag is undoubtedly[4] mine. I am delighted to have it so unexpectedly restored[5] to me. It has been a great inconvenience being without it all these years.

JACK (*in a pathetic voice*) : Miss Prism, more is restored to you than this hand-bag. I was the baby you placed in it.

MISS PRISM (*amazed*) : You ?

JACK (*embracing her*) : Yes... mother !

MISS PRISM (*recoiling in indignant[6] astonishment*) : Mr Worthing. I am unmarried !

JACK : Unmarried ! I do not deny that is a serious blow. But after all, who has the right to cast a stone against one who has suffered ? Cannot repentance wipe out an act of folly ? Why should there be one law for men, and another for women ? Mother, I forgive you. (*Tries to embrace her again.*)

MISS PRISM (*still more indignant*) : Mr Worthing, there is some error. (*Pointing to* LADY BRACKNELL.) There is the lady[7] who can tell you who you really are.

JACK (*after a pause*) : Lady Bracknell, I hate to seem inquisitive, but would you kindly inform me who I am ?

LADY BRACKNELL : I am afraid that the news I have to give you will not altogether[8] please you. You are the son of my poor sister, Mrs Moncrieff, and consequently Algernon's elder[9] brother.

---

1. ▲ **injury** : *blessure*. *Injure* peut se dire **insult**, *des injures*, **abuse** (invariable). Dans une rencontre sportive, **injury-time**, *les arrêts de jeu*.
2. **Gower Street** ['Gauə stri:t].
3. **temperance beverage** ['bevərɪdʒ] : cf. temperance league, *ligue anti-alcoolique*. **Miss Prism**, comme il se doit, milite en faveur de la consommation exclusive de boissons non alcoolisées.
4. **undoubtedly** [ʌn'dautɪdlɪ].
5. **restored**, ici **restore** est pris dans le sens de **give back/make restitution of**.
6. **indignant** [ɪn'dɪgnənt].

MISS PRISM, *calmement* : Il semble que ce soit mon sac. Oui, voici l'éraflure faite lorsqu'un omnibus s'est renversé dans Gower Street, à une époque où nous étions plus jeunes et plus heureux. Voici la tache sur la doublure, provoquée par l'explosion d'un breuvage anti-alcoolique, incident qui s'est produit à Leamington. Et voici, sur le fermoir, mes initiales. J'avais oublié que, dans un accès d'humeur prodigue, je les avais fait graver à cet endroit. Sans aucun doute, il s'agit de mon sac. Je suis ravie de le retrouver alors que je ne m'y attendais pas du tout. C'était vraiment très ennuyeux d'en être privée depuis tant d'années.

JACK, *d'une voix pathétique* : Miss Prism, ce n'est pas seulement un sac qui vous est rendu aujourd'hui. Le bébé qui y avait été mis, c'était moi.

MISS PRISM, *abasourdie* : Vous ?

JACK, *l'embrassant* : Oui, moi... mère !

MISS PRISM, *reculant, frappée de stupeur et d'indignation* : M. Worthing, je ne suis pas mariée.

JACK : Pas mariée ! J'avoue que le coup est rude. Mais, après tout, qui a le droit de jeter la pierre à l'être qui a souffert ? Le repentir ne peut-il effacer un acte commis dans un moment d'égarement ? Pourquoi y aurait-il une loi pour les hommes et une autre pour les femmes ? Mère, je vous pardonne. (*Il essaie de nouveau de l'embrasser.*)

MISS PRISM, *dont l'indignation redouble* : M. Worthing, vous faites erreur. (*Elle désigne* LADY BRACKNELL.) Voici la personne qui peut vous dire qui vous êtes réellement.

JACK, *après un silence* : Lady Bracknell, je déteste paraître curieux, mais auriez-vous l'amabilité de m'apprendre qui je suis ?

LADY BRACKNELL : Je crains que ce que je vais vous apprendre ne vous fasse pas grand plaisir. Vous êtes le fils de ma malheureuse sœur, Mrs Moncrieff, et par conséquent le frère aîné d'Algernon.

---

7. Δ **there is the lady** : **there** est ici fortement accentué. Il faut distinguer entre cette tournure (= *Voici la dame*) et l'expression non accentuée, **There's a lady** (= *il y a une dame*).

8. **altogether** [ˌɔːltəˈɡeðə],. *entièrement, totalement* ; ne pas confondre avec **all together**, *tous ensemble*.

9. **elder**, voir p. 178, note 10.

JACK : Algy's elder brother ! Then I have a brother after all. I knew I had a brother ! I always said I had a brother ! Cecily — how could you have ever doubted that I had a brother ? (*Seizes hold of* ALGERNON.) Dr Chasuble, my unfortunate[1] brother. Miss Prism, my unfortunate brother. Gwendolen, my unfortunate brother. Algy, you young scoundrel, you will have to treat me with more respect in the future. You have never behaved to me like a brother in all your life.

ALGERNON : Well, not till today, old boy, I admit. I did my best[2], however, though I was out of practice[3].

(*Shakes hands.*)

GWENDOLEN (*to* JACK) : My own[4] ! But what own are you ? What is your Christian name, now that you have become someone else ?

JACK : Good heavens !... I had quite forgotten that point. Your decision on the subject of my name is irrevocable[5], I suppose ?

GWENDOLEN : I never change, except in my affections.

CECILY : What a noble nature you have, Gwendolen !

JACK : Then the question had better be cleared up[6] at once. Aunt Augusta, a moment. At the time when[7] Miss Prism left me in the hand-bag, had I been christened already ?

LADY BRACKNELL : Every luxury that money could buy, including christening, had been lavished[8] on you by your fond and doting[9] parents.

JACK : Then I was chistened ! That is settled. Now, what name was I given ? Let me know the worst.

LADY BRACKNELL : Being the eldest[10] son you were naturally christened after[11] your father.

---

1. **unfortunate** [ʌnˈfɔːtʊnət].
2. **did my best**, to do one's best, *faire de son mieux*.
3. **to be out of practice**, *manquer de pratique*, **to get out of practice**, *perdre la main*.
4. **my own !** Jeu grammatical (**own** pronom et **own** adjectif) qui ne peut se faire en français.
5. **irrevocable** [ɪˈrevəkəblɪ].
6. **cleared up**, to clear up, *éclaircir, résoudre, régler, tirer au clair*.
7. **At the time when** ; notez l'emploi spécifique du pronom relatif **when** après un antécédent exprimant une notion de temps.

JACK : Le frère aîné d'Algy ! J'ai donc un frère, en fin de compte. Je le savais que j'avais un frère. J'ai toujours dit que j'avais un frère ! Cecily, comment auriez-vous pu jamais douter de l'existence de mon frère ? (*Il prend* ALGERNON *par le bras.*) Monsieur le Recteur, mon malheureux frère. Miss Prism, mon malheureux frère. Et toi, Algy jeune gredin, désormais il va falloir me traiter avec plus de respect. Jamais de ta vie tu ne t'es conduit en frère avec moi.

ALGERNON : Euh, jusqu'à ce jour, non, mon vieux, je l'avoue. Pourtant, j'ai fait de mon mieux ; mais je manquais de pratique.

(*Il serre les mains alentour.*)

GWENDOLEN, à JACK : Mon cher... mais, au fait, mon cher quoi ? Quel est votre prénom, maintenant que vous êtes devenu quelqu'un d'autre ?

JACK : Grands dieux ! J'avais complètement oublié ce détail. Votre résolution en ce qui concerne mon nom est, je le suppose, irrévocable ?

GWENDOLEN : Je ne change jamais, sauf dans mes affections.

CECILY : Quelle noblesse de caractère que la vôtre, Gwendolen.

JACK : Alors nous ferions mieux de régler cette question tout de suite. Tante Augusta, un instant. Lorsque Miss Prism m'a laissé dans ce sac, est-ce que j'avais été baptisé ?

LADY BRACKNELL : Tout le luxe que permet l'argent, y compris le baptême, vous avait été prodigué par des parents qui vous portaient une affection ridicule.

JACK : Donc, j'ai été baptisé ! La chose est établie. Quel nom m'a-t-on donné ? Apprenez-moi le pire.

LADY BRACKNELL : Étant l'aîné vous avez naturellement été baptisé sous le nom de votre père.

---

8. **lavished** : to lavish something on somebody, *prodiguer quelque chose à quelqu'un.* **Lavish** (adjectif), *prodigue* (to be lavish with (ou of) one's money, *dépenser sans compter), copieux* (repas) ; *généreux* (hospitalité) ; *somptueux* (mobilier).
9. **doting** : to dote on, *avoir un amour excessif pour* ; mais aussi *être gâteux.* To be in one's dotage, *être gaga.*
10. **eldest**, lorsqu'on compare les âges des frères, ou sœurs, entre eux, le comparatif de **old** est **elder** et le superlatif **eldest**.
11. △ **after** : ici dans le sens de *d'après.* Cf. aussi to take after one's father, *ressembler à son père.*

JACK (*irritably*) : Yes, but what was my father's Christian name ?[1]

LADY BRACKNELL (*meditatively*) : I cannot at the present moment recall[2] what the General's Christian name was. But I have no doubt he had one. He was eccentric, I admit. But only in later years. And that was the result of the Indian climate, and marriage, and indigestion, and other things of that kind.

JACK : Algy ! Can't you recollect what our father's Christian name was ?

ALGERNON : My dear boy, we were never even on speaking terms[3]. He died before I was a year old.

JACK : His name would appear in the Army Lists[4] of the period, I suppose, Aunt Augusta ?

LADY BRACKNELL : The General was essentially a man of peace, except in his domestic life. But I have no doubt his name would appear in any military directory[5].

JACK : The Army Lists of the last forty years are here. These delightful records[6] should have been my constant study[7]. (*Rushes to bookcase and tears the books out*[8].) M. Generals... Mallam, Maxbohm, Magley — what ghastly names they have — Markby, Migsby, Mobbs, Moncrieff ! Lieutenant[9] 1840, Captain, Lieutenant-Colonel, Colonel[10], General 1869, Christian names, Ernest John. (*Puts book very quietly down and speaks quite calmly.*) I always told you, Gwendolen, my name was Ernest, didn't I ? Well, it is Ernest after all. I mean it naturally is Ernest.

LADY BRACKNELL : Yes, I remember now that the General was called Ernest. I knew I had some particular reason for disliking the name.

---

1. **christian name** = first name, *prénom*.
2. **recall**, *se rappeler ; rappeler*.
3. **on speaking terms** : se rencontre plus souvent à la forme négative. **They are no longer on speaking terms**, *ils ne s'adressent plus la parole*.
4. **Army Lists** : *Annuaire officiel donnant les noms et la carrière de tous les officiers*.
5. **directory** [dɪ'rektərɪ] *annuaire*.
6. **records** ['rekɔːdz], *documents, archives* ; le verbe **to record** est accentué sur la 2ᵉ syllabe [rɪ'kɔːd].

JACK, *qui s'irrite* : Bien sûr, mais quel était le prénom de mon père ?

LADY BRACKNELL, *d'un air méditatif* : Je n'arrive pas à me rappeler le prénom du général pour le moment. Mais je suis sûre qu'il en avait un. C'était un excentrique, je l'admets, mais seulement vers le tard, et c'était la conséquence du climat de l'Inde, du mariage, de sa mauvaise digestion, et d'autres choses de ce genre.

JACK : Algy, tu ne te souviens pas du nom de notre père ?

ALGERNON : Mon cher, je ne lui adressais point la parole ; je n'avais qu'un an lorsqu'il est mort.

JACK: Je suppose, tante Augusta, que l'on devrait trouver son nom dans les annuaires de l'Armée datant de cette époque ?

LADY BRACKNELL : Le général était essentiellement un homme de paix, sauf dans sa vie conjugale. Mais je suis persuadée que son nom figurerait dans n'importe quel annuaire de l'Armée.

JACK : J'ai ici les annuaires de l'Armée des quarantes dernières années. Ces merveilleux documents auraient dû être l'objet constant de mes études. (*Il se précipite vers une bibliothèque dont il sort fiévreusement les volumes.*) M. Généraux. Mallam, Maxbohm, Magley — quels noms épouvantables — Markby, Migsby, Mobbs, Moncrieff ! Lieutenant 1840 ; capitaine, lieutenant-colonel, colonel, général 1869. Prénom : Constant, John. (*Il pose le volume avec un très grand flegme, et parle d'une voix très calme.*) Je vous l'ai toujours dit, Gwendolen, que je m'appelais Constant, n'est-ce pas ? Eh bien, c'est Constant en définitive. Je veux dire que c'est naturellement Constant.

LADY BRACKNELL : Oui, je m'en souviens maintenant, le général s'appelait Constant. Je savais bien que j'avais une bonne raison de ne pas aimer ce nom.

---

7. **constant study** : cette expression pourrait justifier le choix de **Constant** pour traduire **Ernest**, de préférence à tout autre adjectif-prénom français (*Parfait, Aimé, Urbain*, etc., on en a, paraît-il, recensé dix-huit).

8. **tears out** [teəz]. Attention à la prononciation du substantif **tear**, *larme* [tɪə].

9. **Lieutenant** [lef'tenənt].

10. **Colonel** ['kɜ:nl].

GWENDOLEN : Ernest ! My own Ernest ! I felt from the first that you could have no other name !

JACK : Gwendolen, it is a terrible thing for a man to find out suddenly that all his life he has been speaking nothing but the truth[1]. Can you forgive me ?

GWENDOLEN : I can. For I feel that you are sure to change.

JACK : My own one !

CHASUBLE (*to* MISS PRISM) : Laetitia ! (*Embraces her.*)

MISS PRISM (*enthusiastically*) : Frederick ! At last !

ALGERNON : Cecily ! (*Embraces her.*) At last !

JACK : Gwendolen ! (*Embraces her.*) At last !

LADY BRACKNELL : My nephew, you seem to be displaying signs of triviality[2].

JACK : On the contrary, Aunt Augusta, I've now realized[3] for the first time in my life the vital Importance of Being Earnest[4].

TABLEAU

CURTAIN

---

1. **nothing but the truth**, « *rien que la vérité* » (**but** = *si ce n'est*).
2. **triviality** ['trɪvɪ'ælɪtɪ].
3. **realized** ['rɪəlaɪzd].
4. La traduction doit essayer de tenir compte du double jeu de cette dernière réplique : l'opposition entre **triviality** et **earnest**, et l'ambiguïté **earnest/Ernest**.

GWENDOLEN: Constant ! Mon Constant ! J'ai senti dès le début que vous ne pouviez pas vous appeler autrement.

JACK : C'est une chose terrible pour un homme de découvrir tout d'un coup que toute sa vie il n'a pas cessé de dire autre chose que la vérité. Pouvez-vous me pardonner ?

GWENDOLEN : Je vous pardonne, car j'ai l'impression que vous allez certainement changer.

JACK : Mon amour !

CHASUBLE, *à* MISS PRISM : Laetitia ! (*Il l'embrasse.*)

MISS PRISM, *transportée d'enthousiasme* : Frederick ! Enfin !

ALGERNON : Cecily ! (*Il l'embrasse.*) Enfin !

JACK : Gwendolen ! (*Il l'embrasse.*) Enfin !

LADY BRACKNELL : Mon neveu, vous me semblez manifester des signes de frivolité.

JACK : Au contraire, tante Augusta, je suis très sérieux, et je viens de me rendre compte pour la première fois d'une chose essentielle : pour être sérieux Il Importe d'Être Constant.

TABLEAU

RIDEAU

LEXIQUE

On trouve entre parenthèses le numéro de la page où le mot apparaît en *contexte*.

A

abuse **(60)** *dire du mal*

account for **(22)** *expliquer*

accounts : by all accounts **(80)** *d'après tout ce que l'on rapporte*

actual **(46)** *réel, véritable* → Actually **(32)**

admit **(178)** *reconnaître* → Admission **(76)**

admit to **(164)** *avouer*

advantage, to take advantage of **(44)**, *profiter de*

advise **(58)**, *conseiller* → advisable **(96)**

after **(178)**, *d'après*

ailment **(40)**, *maladie*

aim **(80)**, *but*

alluring **(122)**, *séduisant*

alter **(38)**, *changer*

amazement **(84, 162)**, *étonnement*

anxious (about) **(72)**, *inquiet* → anxiety **(76)**

anxious that/anxious to **(74/82)**, *désireux*

appointment **(84)**, *rendez-vous*

apprised (of) **(152)**, *informé*

approve of **(18, 162)**, *voir d'un bon œil, approuver*

argue **(62)**, *discuter*

argument **(174)**, *argument, querelle*

astounded **(94)**, *éberlué*

astray (to lead astray) **(80)**, *égarer*

at (to be at it) **(144)**, *s'en prendre à*

attend a lecture **(152)**, *assister à un cours*

average **(156)**, *moyenne*

aware : to be aware of/to be aware that **(24, 166)**, *se rendre compte*

B

bachelor **(22)**, *célibataire*

bangle **(112)**, *bracelet* bankruptcy **(116)**, *faillite*

basket **(74)**, *basket chairs, sièges en osier*

bear : I can't bear + ing **(66)**, *supporter*

beat : to beat time **(150)**, *battre la mesure*

become **(74)**, *aller* → becoming, *seyant, convenable*

beg **(50)**, *prier*

behave **(36, 62)**, *se conduire*

bet **(66)**, *parier*

betoken **(92)**, *augurer de*

bewildered **(58)**, *éberlué*

bills **(70)**, *factures*

bishop **(94)**, *évêque*

blessing **(91, 98)**, *bénédiction, bienfait*

blow **(176)**, *coup*

blow kisses **(50)**, *envoyer des baisers*

bore **(76)**, *ennuyer* → bore **(40)**, *ennui*

bound : to be/to feel bound to **(50)**, *être/se sentir/obligé de*

bother **(96)**, *ennuyer/déranger*

bow **(36, 154)**, *saluer (d'un signe de tête)*

bow down : to be bowed down **(98)**, *être abattu/accablé*

brand **(14)** *marque*

bred, to be bred **(58)**, *être élevé*

break off **(114, 116)**, *rompre*

bring up **(16)**, *amener, élever (un enfant)*

brought up **(120)**, *élevé/éduqué*

brow **(98)**, *front*

butler **(12)**, *maître d'hôtel*

buttonhole **(88)**, *boutonnière*

C

call back **(104)**, *rappeler*

call on **(38)**, *rendre visite à*
can **(106)**, *arrosoir*
candour **(122)**, *sincérité* → candid, candidly **(122)**
capital **(64)**, *excellent*
care about **(26)**, *tenir à (aimer)*
care for **(70)**, *aimer*
carriage **(50)**, *voiture*
carry off **(64)**, *emporter*
cast a stone **(176)**, *jeter une/la pierre*
celibate **(170)**, *célibataire* → celibacy **(166)**, *célibat*
chafe **(128)**, *s'irriter*
chap **(116)**, *individu*
cheerily **(60)**, *joyeusement*
chill **(64)**, *refroidissement*
christen **(46)**, *baptiser*
clear up **(22)**, *éclaircir*
cloak room **(58, 60)**, *consigne/vestiaire*
commend **(76)**, *louer (louange)*
conceal **(58)**, *dissimuler*
conceited **(114)**, *vaniteux*
confess **(58, 112)**, *avouer*
confidence **(44)**, *confiance*
contempt **(58)**, *mépris*
cough **(58)**, *toux*
cowardly **(138)**, *lâche*
crush doubts **(148)**, *réduire des doutes à néant*
cuff : shirt-cuff **(68)**, *manchette*
curl **(114)**, *friser*

D

dare **(174)**, *oser* / I dare say **(112)**, *probablement*
debonair **(82)**, *jovial*
decay **(152)**, *décadence*
deceive **(84)**, *tromper* → deception **(134)**, *tromperie ; deceitful* **(132)**, *perfide*
delightful **(40)**, *délicieux, charmant*
deliver a sermon **(94)**, *prononcer un sermon*
demeanour **(76)**, *comportement*
deny **(134)**, *nier*
depend on/upon **(24, 158)**, *dépendre de*

detain **(168)**, *retenir*
devoted to **(20)**, *voué à*
diary **(76)**, *journal intime*
directory **(180)**, *annuaire*
discontent **(54)**, *mécontentement*
disgraceful **(18)**, *honteux, scandaleux*
display **(58)**, *montrer, témoigner de*
disown **(98)**, *renier*
distasteful **(18)**, *déplaisant*
distress **(38, 94)**, *affliger*
distrust **(132)**, *se méfier de*
do good **(80)**, *faire du bien*
doting **(178)**, *qui a une affection excessive et ridicule*
draughts **(92)**, *courants d'air*
draw back **(134)**, *faire un mouvement de recul*
draw out (a programme) **(42)** *établir (un programme)*
draw oneself up **(76)**, *prendre une attitude pleine de dignité*
dreadful **(30, 40)**, *horrible, terrible*
duty **(30, 76)**, *devoir*
duties **(54)**, *droits (taxes)*

E

earth : (why on earth) **(22)**, *pourquoi diable*
elaborate **(170)**, *minutieux*
elaborate politeness **(130)**, *politesse exagérée*
ensure somebody's happiness **(58)**, *assurer le bonheur de quelqu'un*
entanglement **(128)**, *intrigue*
enter **(14)**, *inscrire (dans un registre)*
entrapped **(21)**, *pris au piège*
epidemic **(130)**, *épidémie*
estate **(96)**, *domaine*
extravagance **(18, 92)**, *extravagance, folle dépense* → extravagant **(176)**
evensong **(80)** *vêpres*
evidence **(142)**, *indice, preuve*

F

fast (hard and fast) (24), *inflexible*

fancy (138), *imaginer*

fault (92), *défaut*

fearful (101), *affreux*

find out (154, 160), *mettre à jour, découvrir*

first cousin (22), *cousin germain/cousine*

flight of steps (74), *escalier*

fond (to be fond of) (140), *aimer*

forbid (168), *interdire*

forte (14), *point fort*

forward (128), *effronté*

frantic : to drive somebody frantic (100), *mettre quelqu'un hors de lui*

furnish (14), *meubler*

G

ghastly (138), *effrayant*

girlish (126), *puéril (pour une fille)*

glance (40), *coup d'œil*

glare (80), *lancer un regard furieux*

go about (54), *sortir (en réceptions)*

go off (60), *se passer (événement)*

good : there's no/it's no + ing (24), *cela ne sert à rien de*

greedy (142), *gourmand*

grief (38, 98), *douleur, chagrin*

groan (134), *gémir*

gross (134), *grossier*

grounds (162), *raisons*

guardian (30, 74), *tuteur*

guest (104), *hôte, invité*

guidance (156), *gouverne (conseils)*

H

hang upon (80), *être suspendu à*

happen (I happen to) (56), *se trouver que*

hardly (30), *guère*

health (32), *santé*

headache (80), *migraine*

heaven (16), *ciel*

I

idle (52), *oisif ;* (76), *vain, futile*

improper (33), *inconvenant*

improve (70), *améliorer*

improvement (40), *progrès, amélioration*

increase : on the increase (32), *en augmentation*

indecorous (50), *sans dignité*

indiscretion (58), *faux-pas*

induce (34), *inciter*

injury (176), *blessure*

inquiries (50), *investigations*

inquisitive (176), *curieux*

insuperable (130), *insurmontable*

intend (36), *avoir l'intention*

interfere (20), *s'interposer*

interfere with (104), *faire obstacle à*

intrude (98), *s'imposer (en importun)*

invalid (32), *malade*

irretrievably (76), *irrémédiablement*

J

journey (104), *voyage*

K-L

knot : true lover's knot (112), *lacs d'amour*

last (90), *durer*

late/to be late (12), *être en retard*

late/the late (156), *le défunt*

lavish (178), *prodiguer*

lay stress (24), *insister*

leave for (74), *partir pour*

lecture (152), *cours/conférence*

lengthy (152), *interminable*

let (54), *louer (une maison)*

learned (116), *éminent*

liar (104), *menteur*

lift a lead (124), *enlever un poids*

likelihood (140), *probabilité*

lining **(166)**, *doublure*
loathe **(66)**, *détester*
look after **(122)**, *s'occuper de*
look for **(50)**, *chercher*
look forward to **(166)**, *espérer*
lorgnette **(122)**, *face-à-main*
luggage **(102)**, *bagages*
lump **(132)**, *morceau (de sucre)*
luxury **(178)**, *luxe*

M

maid **(158)**, *femme de chambre*
make out **(30)**, *imaginer ; (140)*, *tirer (profit) de*
make up for **(106)**, *compenser*
matrimony **(90)**, *mariage (état)*
mean **(24)**, *mesquin*
means : by means of **(162)**, *au moyen de*
measles **(156)**, *rougeole* ; german measles **(156)**, *rubéole*
merriment **(76)**, *gaieté*
mind : I don't mind **(66)**, *cela ne me dérange pas*
mind : make up one's mind **(24)**, *se décider*
misconception **(126)**, *erreur*
mislay **(78)**, *égarer*
misunderstanding **(84)**, *malentendu*
mourning **(96)**, *deuil*

N

necktie **(86)**, *cravate*
neighbourhood **(132)**, *voisinage*
nonsense **(22)**, *sottise*
notice : take notice of **(40)**, *faire attention à*
notice : give notice **(54)** : *donner un préavis*
nuisance : public nuisance **(62)**, *fléau public*

O

obvious **(98)**, *évident*
off colour : to be off colour **(138)**, *ne pas avoir bonne mine*
opportunity of **(148, 160)**, *occasion, moment opportun de*

ordeal **(150)**, *épreuve, supplice*
out **(114)**, *terminé*
outfit **(86)**, *effets (vêtements)*
outlying **(96)**, *isolé, à l'écart*
outrage **(104)**, *scandale ; (154)*, *attentat*
overlook **(162)**, *ne pas tenir compte de*
Oxonian **(162)** *d'Oxford*

P

pagan **(80)** *païen*
parcel **(60)**, *colis*
parish **(94)**, *paroisse*
part **(106)**, *se séparer*
patronising **(62)**, *condescendant*
pay : pay attention to **(64)**, *prêter attention à*
pew **(168)**, *banc d'église* ; pew-opener, *bedeau*
physician **(154)**, *médecin*
pick up **(38)**, *ramasser*
perambulator (= pram) **(170)**, *voiture d'enfant*
pretence **(162)**, to pretend **(84)**, *faire semblant de, se faire passer pour*
profit by **(92)**, *profiter de*
propose **(20)**, *faire une demande en mariage*
proposal **(22)** *demande en mariage*
purchase **(152)**, *acheter*
purple **(56)**, *pourpre*
put away **(76)**, *ranger*
put up with **(60)**, *s'accommoder de*
puzzled **(166)**, *embarrassé*

Q

quail **(170)**, *perdre courage*
quixotic **(86)**, *don-quichottesque*

R

ready : ready money **(38)**, *argent comptant*
reap **(76)**, *récolter*
reckless **(13)**, *fou (téméraire)*
reclaim **(76)**, *récupérer*

records (180), *archives*

recumbent (150), *gisant*

reel (132), *chanceler, tituber*

refreshment (16), *collation*

relapse (42), *rechute*

relations (32), *parents*

relative (36), *parent*

rely on (42), *compter sur*

remind : remind one of (58), *rappeler quelque chose à quelqu'un*

remote (60), *éloigné*

repellent (168), *repoussant, répugnant*

repentance (176), *repentir*

require (68), *exiger*

rescue (126), *secourir*

restore (176), *restituer*

reward (22), *récompense*

rid : get rid of (64), *se débarrasser de*

right (138), *droit*

ripeness (90), *maturité*

rise (56), *se lever*

room : leave no room (38), *ne pas laisser place*

run over (42), *revoir, examiner de nouveau*

S

sake : for heaven's sake (36), *pour l'amour du ciel*

salver (14), *plateau (d'argent)*

savour (168), *avoir une odeur de (figuré)*

scoundrel (102), *gredin*

scrape (72), *(vilaine) histoire, affaire*

see : see someone out (70), *raccompagner quelqu'un*

seize (142), *saisir*

sensible (70), *raisonnable*

settle : settle a question (178), *régler une question*

shallow (36), *sans profondeur*

shield (170), *protéger*

shameful (92), *honteux*

shilly-shally (40), *hésitations*

short-sighted (88), *myope*

sigh (94), *soupirer*

single (90), *célibataire*

slice (130), *tranche*

slight (16, 134), *léger, négligeable*

slight (78), *manquer d'égards envers, offenser*

smart (36), *élégant, chic*

snare (88), *piège*

solicitor (156), *avocat-notaire*

sorrow (98), *douleur, chagrin*

sow (76), *semer*

spade (128), *bêche ; to call a spade a spade, appeler un chat un chat*

sprinkle (96), *asperger*

stain (74), *tache*

stake : to be at stake (148), *être en jeu*

stammer (152), *bredouiller*

stamp (148), *marque, estampille*

start (78), *sursauter*

state (108), *déclarer*

sternly (54), *sévèrement, gravement*

stir (68), *faire bouger, mouvoir, émouvoir*

stockbroker (140), *agent de change, courtier en bourse*

strike up a tune (60), *attaquer un morceau de musique*

stroll (80), *promenade*

suit (46), *aller (vêtement)*

superciliously (130), *de façon hautaine*

surrender (148), *rendre (renoncer à)*

sweep : sweep out (60), *sortir majestueusement*

sympathy (40), *compassion*

T

take in (138), *rouler (abuser)*

tedious (30), *ennuyeux*

temperance : temperance beverage (176), *boisson non alcoolisée*

tie up (112), *lier*

thoroughly (116), *complètement*

thoughtful (42), *attentionné*

thoughtless (88), *étourdi, négligent*

191

thrift **(94)**, *parcimonie*
throw back **(82)**, *rejeter*
tongs **(130)**, *pince (à sucre), pincettes*
topic **(130)**, *sujet de conversation, d'actualité*
tray **(130)**, *plateau (de service)*
trespass on **(132)**, *abuser de*
trivial **(138)**, *futile*
triviality **(182)**, *frivolité*
trunk **(174)**, *malle, coffre*
trust : I trust **(80)**, *j'espère*
trusty **(152)**, *digne de confiance*
tune **(60)**, *air (musique)*
twins **(96)**, *jumeaux*

U

unbearable **(60)**, *insupportable*
unfair **(60)**, *injuste, malhonnête*
untruthful **(162)**, *faux, perfide, hypocrite*
upright **(124)**, *droit, probe*
upsetting **(176)**, *to upset : renverser*
utterly **(20)**, *totalement*
utmost **(60)**, *extrême*

V

venture **(138)**, *s'aventurer*

vestry **(168)**, *sacristie*
vital **(148)**, *essentiel*

W

waist **(132)**, *taille (ceinture)*
ward **(64)**, *pupille*
warn **(130)**, *avertir*
waste **(168)**, *gâcher, dilapider*
way : to get somebody out of the way **(36)**, *éloigner quelqu'un*
wicked **(84)**, *mauvais, méchant, pervers*
wilderness **(94)**, *désert*
will **(164)**, *testament*
wipe out **(176)**, *effacer*
wish : I wish to goodness **(22)**, *Ah, si seulement. Plût au ciel*
whistle **(146)**, *siffler*
whole **(104)**, *entier*
wholesome **(88)**, *sain, solide*
whooping cough **(156)**, *coqueluche*
woe **(92)**, *malheur*
worn out **(112)**, *fatigué, lassé, usé*
wretched **(138)**, *malheureux, misérable*

Y

yew-tree **(74)**, *if*

Impression réalisée sur Presse Offset par

BRODARD & TAUPIN

GROUPE CPI

23198 – La Flèche (Sarthe), le 17-05-2004
Dépôt légal : juin 2004

POCKET – 12, avenue d'Italie - 75627 Paris cedex 13
Tél. : 01.44.16.05.00

Imprimé en France